VOLTAIRE

François-Marie Arouet, dit Voltaire (1694-1778),
est à la tête d'un véritable mouvement philosophique qui rayonne sur toute l'Europe. Son œuvre
domine la production du siècle. Voltaire s'essaie
avec des succès divers à tous les genres littéraires :
théâtre, dialogues, ouvrages historiques, romans et
contes (*Zadig*, *Candide*, *L'Ingénu*, *Micromégas*),
poésie, essais, articles scientifiques et culturels,
textes de critique littéraire, pamphlets. Immense
épistolier, il écrira plus de 20 000 lettres...
Son œuvre témoigne du combat d'une vie contre
le mensonge et l'imposture, l'illusion et la bêtise.

D0710941

ZADIG
suivi de
MICROMÉGAS

VOLTAIRE

ZADIG
suivi de
MICROMÉGAS

Préface de Jacques de Guillebon

Les notes appelées par un astérisque sont de l'auteur.

© 2004, Pocket, département d'Univers Poche.
© 2007, Pocket, département d'Univers Poche, pour la préface.

ISBN : 978-2-266-17768-9

PRÉFACE

On pourrait, ouvrant ce livre, se rappeler que l'écho de son auteur fit, quelques décennies après sa mort, trembler des princes, et mit en fuite des rois. Mais, quoique l'on nous ait habitué à ne considérer de Voltaire que l'attitude de révolte contre le pouvoir – contre tous les pouvoirs, temporels et spirituels – il faut tenter, pour appréhender sereinement ses contes, de se débarrasser un peu de cette première vision trop réductrice. En effet, la morale qui se dégage de ces œuvres si particulières, et au premier chef de *Zadig*, si elle se donne évidemment comme critique du *monde comme il va*, s'inscrit néanmoins dans l'ordre d'une civilisation humaniste et christianisée. Une civilisation dont la caractéristique est d'essayer, à chaque instant, de se corriger pour ce qu'elle a de mauvais et de se perfectionner pour ce qu'elle a de supérieur, ou croit avoir de supérieur, sur toutes les autres civilisations. C'est ainsi qu'il faut lire Voltaire dans une continuité, celle des moralistes, que l'on peut faire débuter à la Renaissance, mais qui prend réellement toute sa force au XVIIe siècle, sous la plume des Saint-Simon, La Bruyère, Fontenelle, Boileau et La Fontaine. En ce sens, Voltaire lui-même, qui est né en 1694, est encore un homme du siècle de Louis XIV.

À cette tradition des honnêtes hommes se mêle évidemment le jugement si singulier des « philosophes » du siècle de la Révolution, qui firent, sous la houlette de D'Alembert et Diderot, l'*Encyclopédie*. Mais il serait vain de chercher en eux une commune philosophie, une logique qui les rassemble : ce dont il s'agit avant tout, c'est d'une commune sensibilité devant l'humain, ses turpitudes, ses maux et sa grandeur ; devant l'humain qui estime, enfin, pouvoir prendre sa destinée en main et s'abstraire des déterminations naturelles.

« Tout ce que j'ai fait de bien a toujours été pour moi une source de malédictions, et je n'ai été élevé au comble de la grandeur que pour tomber dans le plus horrible précipice de l'infortune », se lamente le héros de ce conte, Zadig, qui n'a d'autre vice que la naïveté. Partout il est honnête, et partout on le condamne. Partout il est généreux, et partout on le vole. Partout il est magnanime, et partout on fomente sa perte. Chassé de Babylone, puis d'Égypte, puis d'Arabie, Zadig n'est jamais élevé aux premiers honneurs par sa vertu que pour retomber plus bas, sous les coups de l'humaine jalousie. Le long périple qu'il effectue à travers l'Orient entier devient alors la preuve que nulle part il n'est de société juste, que les meilleurs parmi les princes sont toujours sujets à la corruption et à l'iniquité.

Mais Zadig, devant tant de haine, de ruse et d'envie, et quoiqu'il « se figure les hommes tels qu'ils sont en effet, des insectes se dévorant les uns les autres sur un petit atome de boue », résiste pourtant sans cesse à la tentation du pessimisme et du désespoir. Quand il considère la petitesse de l'homme et du monde, Zadig comme Voltaire, ou Voltaire comme Zadig, y voit l'occasion de méditer à un voyage à travers les astres. Devant le ridicule du spectacle d'ici-bas, que le cosmos illustre *a contrario* par son immensité, il jouit de l'infini, des étendues intergalactiques, de la multiplicité de ces astres que l'on ne peut dénombrer et qui, là-haut, demeurent comme promesse d'un autre monde plus intense.

Quand paraît la première version de *Zadig*, sous le titre de *Memnon*, François-Marie Arouet, dit Monsieur de Voltaire, a déjà cinquante-trois ans. Nous sommes en 1747, et il n'y a que quelques années que l'écrivain, presque au faîte de sa gloire, est venu au conte, avec le *Voyage du baron de Gangan*, première mouture de *Micromégas* adressée à son ami Frédéric de Prusse. Voltaire, qui reste très persuadé qu'il existe des matières nobles, comme le théâtre où il déploie toutes ses énergies et connaît un vrai succès, ne tient alors ses propres contes philosophiques que pour des fantaisies à usage privé, des « fariboles » qui ne passeront pas le temps. Or, c'est tout le contraire qui s'est produit : quand de ses pièces il n'est presque rien que l'on puisse décemment rejouer aujourd'hui, *Zadig* demeure pour nous, lecteurs du XXIe siècle, avec *Candide* ou *Micromégas*, la quintessence de l'art et de l'esprit voltairien.

Mais justement, à quoi tient-il cet art, et quels en sont les charmes et les attraits qui, par-dessus les siècles, nous en ont transmis, intact, le fruit amer ?

L'histoire de la rédaction de *Zadig* est bien complexe : on en connaît de multiples manuscrits, où les corrections, reprises, biffures et rajouts se succèdent pendant cinq années. C'est l'époque, entre 1745 et 1747, où Voltaire travaille sur l'Orient ancien en vue de son *Essai sur les mœurs*. On conçoit que l'Orient compliqué soit ainsi naturellement devenu le sujet de son conte, et le décor des aventures picaresques de son héros. Zadig est la figure éclairée de l'homme du monde ancien, l'un « des antiques chaldéens » que, mythiquement, leur science immense met au même rang que les modernes du XVIIIe. Figure d'un âge d'or révolu, Zadig n'en est pas moins aux prises avec cette bêtise humaine qui traverse les époques et reste le premier ennemi de Voltaire.

Il faut dire que c'est un Voltaire historiographe royal, encore entraîné dans les affaires de la cour, et commençant seulement à imaginer pouvoir définitivement s'écarter de la courtisanerie, qui rédige ce conte. Comme son personnage d'Arimaze, « n'ayant jamais pu réussir dans le monde, il se vengeait par en médire », ne peut-on s'empêcher de songer. Mais s'il médit, et croque en quelques pages une dizaine d'archétypes de l'humaine médiocrité, c'est avec un inégalable génie. « Dites du mal, dites du mal, il en restera toujours quelque chose », proposait-il dans l'une des ses plus célèbres maximes. Certes, il y a réussi, et il en est resté quelque chose, de ses médisances : pourtant, contrairement à ce que l'on aurait pu croire, ce ne sont pas des figures particulières qui ont pâti dans la postérité de son insolence, mais les différents traits du vice présent en l'homme de manière ineffaçable. Quand Voltaire moque les mages babyloniens superstitieux, son ironie atteint et les clercs de son époque et les « maîtres censeurs » de la nôtre qui, pour n'avoir pas de religion, ne sont pas moins fortement pourvus en anathèmes, condamnations solennelles et mises à l'index.

Zadig est une œuvre précieuse parce que Voltaire, qui le destinait d'abord à l'usage de ses seuls proches, laissant libre cours à son insolence et à ses moqueries à propos du pouvoir royal, des prêtres et des intrigants, découvre parfaitement la tournure de son esprit. Souhaitant ainsi que le conte « sous le voile de la fable laisse entrevoir aux yeux exercés une vérité fine qui échappe au vulgaire » et que cette fable soit « bien vraie, bien avérée et bien morale », il ne peut concevoir d'arrêter sa plume là où la bien-séance le requerrait, et les aventures de Zadig sont pleines de pointes empoisonnées qui blessent l'humanité sûre d'elle-même au défaut de sa cuirasse.

Zadig se donne ainsi comme un maître iconoclaste : il n'est de mission plus importante qu'il se donne que celle du bris de toutes les idoles. À qui adore les étoiles du ciel, il rappelle combien leur Créateur est plus adorable. Sans cesse, il crie dans le désert combien le « Grand Horloger » dépasse infiniment l'horloge qu'est l'univers, devant quoi se pâment les esprits trop étroits.

En quoi Voltaire est l'héritier direct du peuple de l'Ancien et du Nouveau Testament : quoique son impertinence ne résiste jamais au plaisir de tourner en ridicule les moines adipeux et les inquisiteurs irréfléchis, s'il invoque Zoroastre et le *Zend Avesta*, c'est dans une perspective monothéiste que les révélations juive et chrétienne ont élaborée. Le Dieu du philosophe ne peut être, en bonne logique, qu'Un. Ses décrets (« la Providence », dont un ange vient rappeler la sempiternelle présence à Zadig) méditent le salut de l'homme juste, et ses voies sont impénétrables. Les références à l'histoire du peuple hébreux sont nombreuses dans le conte, et Zadig en Égypte devient la réminiscence de Joseph, le fils de Jacob, conseiller de Pharaon ; Premier ministre à Babylone, il rend des jugements semblables à ceux de Salomon.

Pour le lecteur contemporain, s'il fait l'effort d'entrer dans cette langue qui n'a de complexe que les apparences, elle se révélera en vérité d'une sim-

plicité qui purifie l'esprit. Il y gagnera l'ardeur nécessaire au combat contre les préjugés qui trop souvent
encombrent le jugement. Il y trouvera la garantie à
validité permanente de jouir de ce rapport critique
au monde qui est l'apanage de l'homme raisonnable.

Voltaire prêche, à travers le personnage de Zadig,
une philosophie à vocation universelle, tout en restant
inscrit, à son corps défendant, dans la plus grande tradition judéo-chrétienne. En quoi son œuvre incarne
une contradiction inhérente à la civilisation occiden-
tale, qui est de se penser comme une culture parti-
culière à vocation mondiale : c'est bien là la première
morale de ses contes, et elle reste pour le lecteur de
toutes les époques matière à des réflexions infinies.

Jacques DE GUILLEBON

ZADIG OU LA DESTINÉE

HISTOIRE ORIENTALE

Texte remanié de la première version, *Memnon, histoire orientale* (1747), *Zadig* a été publié pour la première fois sous ce titre en 1748.

La version définitive a paru en 1756.

APPROBATION

Je soussigné, qui me suis fait passer pour savant, et même pour homme d'esprit, ai lu ce manuscrit, que j'ai trouvé, malgré moi, curieux, amusant, moral, philosophique, digne de plaire à ceux mêmes qui haïssent les romans. Ainsi je l'ai décrié, et j'ai assuré M. le Cadi-Lesquier que c'est un ouvrage détestable.

ÉPÎTRE DÉDICATOIRE
À LA SULTANE SHERAA

PAR SADI

Le 18 du mois de Schewal, l'an 837 de l'hégire.

Charme des prunelles, tourment des cœurs, lumière de l'esprit, je ne baise point la poussière de vos pieds, parce que vous ne marchez guère, ou que vous marchez sur des tapis d'Iran ou sur des roses. Je vous offre la traduction d'un livre d'un ancien sage qui, ayant le bonheur de n'avoir rien à faire, eut celui de s'amuser à écrire l'histoire de Zadig, ouvrage qui dit plus qu'il ne semble dire. Je vous prie de le lire et d'en juger : car, quoique vous soyez dans le printemps de votre vie, quoique tous les plaisirs vous cherchent, quoique vous soyez belle, et que vos talents ajoutent à votre beauté ; quoiqu'on vous loue du soir au matin, et que par toutes ces raisons vous soyez en droit de n'avoir pas le sens commun, cependant vous avez l'esprit très sage et le goût très fin, et je vous ai entendue raisonner mieux que de vieux derviches à longue barbe et à bonnet pointu. Vous êtes discrète et vous n'êtes point défiante ; vous êtes douce sans être faible ; vous êtes bienfaisante avec discernement ; vous aimez vos amis, et vous ne vous faites point d'ennemis. Votre esprit n'emprunte jamais ses agréments des traits de la médisance ; vous ne dites de mal ni n'en faites, malgré la prodigieuse facilité que vous y auriez. Enfin votre âme m'a toujours paru pure comme votre beauté. Vous avez même un petit fonds de philosophie qui m'a fait croire que vous prendriez plus de goût qu'une autre à cet ouvrage d'un sage.

Il fut écrit d'abord en ancien chaldéen, que ni vous ni moi n'entendons. On le traduisit en arabe, pour amuser le célèbre sultan Ouloug-beb. C'était du temps où les Arabes et les Persans commençaient à écrire des *Mille et une Nuits*, des *Mille et un Jours*, etc. Ouloug aimait mieux la lecture de *Zadig* ; mais les sultanes aimaient mieux les *Mille et un*. « Comment pouvez-vous préférer, leur disait le sage Ouloug, des contes qui sont sans raison, et qui ne signifient rien ? – C'est précisément pour cela que nous les aimons », répondaient les sultanes.

Je me flatte que vous ne leur ressemblerez pas, et que vous serez un vrai Ouloug. J'espère même que, quand vous serez lasse des conversations générales, qui ressemblent assez aux *Mille et un*, à cela près qu'elles sont moins amusantes, je pourrai trouver une minute pour avoir l'honneur de vous parler raison. Si vous aviez été Thalestris du temps de Scander, fils de Philippe ; si vous aviez été la reine de Sabée du temps de Soleiman, c'eussent été ces rois qui auraient fait le voyage.

Je prie les vertus célestes que vos plaisirs soient sans mélange, votre beauté durable, et votre bonheur sans fin.

SADI.

LE BORGNE

Du temps du roi Moabdar il y avait à Babylone un jeune homme nommé Zadig, né avec un beau naturel fortifié par l'éducation. Quoique riche et jeune, il savait modérer ses passions ; il n'affectait rien ; il ne voulait point toujours avoir raison, et savait respecter la faiblesse des hommes. On était étonné de voir qu'avec beaucoup d'esprit il n'insultât jamais par des railleries à ces propos si vagues, si rompus, si tumultueux, à ces décisions ignorantes, à ces turlupinades grossières, à ce vain bruit de paroles, qu'on appelait *conversation* dans Babylone. Il avait appris, dans le premier livre de Zoroastre, que l'amour-propre est un ballon gonflé de vent, dont il sort des tempêtes quand on lui a fait une piqûre. Zadig surtout ne se vantait pas de mépriser les femmes et de les subjuguer. Il était généreux ; il ne craignait point d'obliger des ingrats, suivant ce grand précepte de Zoroastre : *Quand tu manges, donne à manger aux chiens, dussent-ils te mordre.* Il était aussi sage qu'on peut l'être : car il cherchait à vivre avec des sages. Instruit dans les sciences des anciens Chaldéens, il n'ignorait pas les principes physiques de la nature, tels qu'on les connaissait alors, et savait de la métaphysique ce qu'on en a su dans tous les âges, c'est-à-dire fort peu de chose. Il était fermement persuadé que l'année était de trois cent soixante et cinq jours et un quart, malgré la nouvelle philosophie de son temps, et que le soleil était au centre du monde ; et quand les principaux mages lui disaient, avec une hauteur insultante, qu'il avait de mauvais sentiments, et que c'était être ennemi de l'État que de croire que le soleil tournait sur lui-même, et que l'année avait douze mois, il se taisait sans colère et sans dédain.

Zadig, avec de grandes richesses, et par consé-
quent avec des amis, ayant de la santé, une figure
aimable, un esprit juste et modéré, un cœur sincère
et noble, crut qu'il pouvait être heureux. Il devait se
marier à Sémire, que sa beauté, sa naissance, et sa
fortune, rendaient le premier parti de Babylone. Il
avait pour elle un attachement solide et vertueux,
et Sémire l'aimait avec passion. Ils touchaient au
moment fortuné qui allait les unir, lorsque, se promenant ensemble vers une porte de Babylone, sous
les palmiers qui ornaient le rivage de l'Euphrate, ils
virent venir à eux des hommes armés de sabres et
de flèches. C'étaient les satellites du jeune Orcan,
neveu d'un ministre, à qui les courtisans de son oncle
avaient fait accroire que tout lui était permis. Il
n'avait aucune des grâces ni des vertus de Zadig ;
mais, croyant valoir beaucoup mieux, il était désespéré de n'être pas préféré. Cette jalousie, qui ne
venait que de sa vanité, lui fit penser qu'il aimait
éperdument Sémire. Il voulait l'enlever. Les ravisseurs la saisirent, et dans les emportements de leur
violence ils la blessèrent, et firent couler le sang
d'une personne dont la vue aurait attendri les tigres
du mont Imaüs. Elle perçait le ciel de ses plaintes.
Elle s'écriait : « Mon cher époux ! on m'arrache à ce
que j'adore. » Elle n'était point occupée de son dan-
ger ; elle ne pensait qu'à son cher Zadig. Celui-ci,
dans le même temps, la défendait avec toute la force
que donnent la valeur et l'amour. Aidé seulement
de deux esclaves, il mit les ravisseurs en fuite, et
ramena chez elle Sémire, évanouie et sanglante, qui
en ouvrant les yeux vit son libérateur. Elle lui dit :
« Ô Zadig ! je vous aimais comme mon époux ; je
vous aime comme celui à qui je dois l'honneur et la
vie. » Jamais il n'y eut un cœur plus pénétré que

celui de Sémire. Jamais bouche plus ravissante n'exprima des sentiments plus touchants par ces paroles de feu qu'inspirent le sentiment du plus grand des bienfaits et le transport le plus tendre de l'amour le plus légitime. Sa blessure était légère ; elle guérit bientôt. Zadig était blessé plus dangereusement ; un coup de flèche reçu près de l'œil lui avait fait une plaie profonde. Sémire ne demandait aux dieux que la guérison de son amant. Ses yeux étaient nuit et jour baignés de larmes : elle attendait le moment où ceux de Zadig pourraient jouir de ses regards ; mais un abcès survenu à l'œil blessé fit tout craindre. On envoya jusqu'à Memphis chercher le grand médecin Hermès, qui vint avec un nombreux cortège. Il visita le malade, et déclara qu'il perdrait l'œil ; il prédit même le jour et l'heure où ce funeste accident devait arriver. « Si c'eût été l'œil droit, dit-il, je l'aurais guéri ; mais les plaies de l'œil gauche sont incurables. » Tout Babylone, en plaignant la destinée de Zadig, admira la profondeur de la science d'Hermès. Deux jours après, l'abcès perça de lui-même ; Zadig fut guéri parfaitement. Hermès écrivit un livre où il lui prouva qu'il n'avait pas dû guérir. Zadig ne le lut point ; mais, dès qu'il put sortir, il se prépara à rendre visite à celle qui faisait l'espérance du bonheur de sa vie, et pour qui seule il voulait avoir des yeux. Sémire était à la campagne depuis trois jours. Il apprit en chemin que cette belle dame, ayant déclaré hautement qu'elle avait une aversion insurmontable pour les borgnes, venait de se marier à Orcan lui-même. À cette nouvelle il tomba sans connaissance ; sa douleur le mit au bord du tombeau ; il fut long-temps malade, mais enfin la raison l'emporta sur son affliction ; et l'atrocité de ce qu'il éprouvait servit même à le consoler.

« Puisque j'ai essuyé, dit-il, un si cruel caprice d'une fille élevée à la cour, il faut que j'épouse une citoyenne. » Il choisit Azora, la plus sage et la mieux née de la ville ; il l'épousa, et vécut un mois avec elle dans les douceurs de l'union la plus tendre. Seulement il remarquait en elle un peu de légèreté, et beaucoup de penchant à trouver toujours que les jeunes gens les mieux faits étaient ceux qui avaient le plus d'esprit et de vertu.

LE NEZ

Un jour, Azora revint d'une promenade, tout en colère et faisant de grandes exclamations. « Qu'avez-vous, lui dit-il, ma chère épouse ? qui vous peut mettre ainsi hors de vous-même ? – Hélas ! dit-elle, vous seriez comme moi, si vous aviez vu le spectacle dont je viens d'être témoin. J'ai été consoler la jeune veuve Cosrou, qui vient d'élever, depuis deux jours, un tombeau à son jeune époux auprès du ruisseau qui borde cette prairie. Elle a promis aux dieux, dans sa douleur, de demeurer auprès de ce tombeau tant que l'eau de ce ruisseau coulerait auprès. – Eh bien ! dit Zadig, voilà une femme estimable qui aimait vérita-blement son mari ! – Ah ! reprit Azora, si vous saviez à quoi elle s'occupait quand je lui ai rendu visite ! – À quoi donc, belle Azora ? – Elle faisait détourner le ruisseau. » Azora se répandit en des invectives si longues, éclata en reproches si violents contre la jeune veuve, que ce faste de vertu ne plut pas à Zadig.

Il avait un ami, nommé Cador, qui était un de ces jeunes gens à qui sa femme trouvait plus de probité et de mérite qu'aux autres : il le mit dans sa confi-dence, et s'assura, autant qu'il le pouvait, de sa fidé-lité par un présent considérable. Azora, ayant passé deux jours chez une de ses amies à la campagne, revint le troisième jour à la maison. Des domestiques en pleurs lui annoncèrent que son mari était mort subitement la nuit même, qu'on n'avait pas osé lui porter cette funeste nouvelle, et qu'on venait d'ensevelir Zadig dans le tombeau de ses pères, au bout du jardin. Elle pleura, s'arracha les cheveux, et jura de mourir. Le soir, Cador lui demanda la permission de lui parler, et ils pleurèrent tous deux. Le lendemain ils pleurèrent moins et dînèrent ensemble. Cador lui confia que son ami lui avait laissé la plus grande partie de son bien, et lui fit entendre qu'il mettrait son bonheur à partager sa fortune avec elle. La dame pleura, se fâcha, s'adoucit ; le souper fut plus long que le dîner ; on se parla avec plus de confiance. Azora fit l'éloge du défunt ; mais elle avoua qu'il avait des défauts dont Cador était exempt.

Au milieu du souper, Cador se plaignit d'un mal de rate violent ; la dame, inquiète et empressée, fit apporter toutes les essences dont elle se parfumait pour essayer s'il n'y en avait pas quelqu'une qui fût bonne pour le mal de rate ; elle regretta beaucoup que le grand Hermès ne fût pas encore à Babylone ; elle daigna même toucher le côté où Cador sentait de si vives douleurs. « Êtes-vous sujet à cette cruelle maladie ? lui dit-elle avec compassion. – Elle me met quelquefois au bord du tombeau, lui répondit Cador, et il n'y a qu'un seul remède qui puisse me soulager : c'est de m'appliquer sur le côté le nez d'un homme qui soit mort la veille. – Voilà un étrange remède, dit Azora. – Pas plus étrange, répondit-il, que les sachets du sieur Arnou* contre l'apoplexie. » Cette

---

* Il y avait dans ce temps un Babylonien, nommé Arnou, qui guérissait et prévenait toutes les apoplexies, dans les gazettes, avec un sachet pendu au cou.

raison, jointe à l'extrême mérite du jeune homme, détermina enfin la dame. « Après tout, dit-elle, quand mon mari passera du monde d'hier dans le monde du lendemain sur le pont Tchinavar, l'ange Asraël lui accordera-t-il moins le passage parce que son nez sera un peu moins long dans la seconde vie que dans la première ? » Elle prit donc un rasoir ; elle alla au tombeau de son époux, l'arrosa de ses larmes, et s'approcha pour couper le nez à Zadig, qu'elle trouva tout étendu dans la tombe. Zadig se relève en tenant son nez d'une main, et arrêtant le rasoir de l'autre. « Madame, lui dit-il, ne criez plus tant contre la jeune Cosrou ; le projet de me couper le nez vaut bien celui de détourner un ruisseau. »

LE CHIEN ET LE CHEVAL

Zadig éprouva que le premier mois du mariage, comme il est écrit dans le livre du *Zend*, est la lune du miel, et que le second est la lune de l'absinthe. Il fut quelque temps après obligé de répudier Azora, qui était devenue trop difficile à vivre, et il chercha son bonheur dans l'étude de la nature. « Rien n'est plus heureux, disait-il, qu'un philosophe qui lit dans ce grand livre que Dieu a mis sous nos yeux. Les vérités qu'il découvre sont à lui : il nourrit et il élève son âme, il vit tranquille ; il ne craint rien des hommes, et sa tendre épouse ne vient point lui couper le nez. »

Plein de ces idées, il se retira dans une maison de campagne sur les bords de l'Euphrate. Là il ne s'occupait pas à calculer combien de pouces d'eau coulaient en une seconde sous les arches d'un pont, ou s'il tombait une ligne cube de pluie dans le mois de la souris plus que dans le mois du mouton. Il n'imaginait point de faire de la soie avec des toiles d'araignée, ni de la porcelaine avec des bouteilles cassées, mais il étudia surtout les propriétés des animaux et des plantes, et il acquit bientôt une sagacité qui lui découvrait mille différences où les autres hommes ne voient rien que d'uniforme.

Un jour, se promenant auprès d'un petit bois, il vit accourir à lui un eunuque de la reine, suivi de plusieurs officiers qui paraissaient dans la plus grande inquiétude, et qui couraient çà et là comme des hommes égarés qui cherchent ce qu'ils ont perdu de plus précieux. « Jeune homme, lui dit le premier eunuque, n'avez-vous point vu le chien de la reine ? » Zadig répondit modestement : « C'est une chienne, et non pas un chien. – Vous avez raison, reprit le premier eunuque. – C'est une épagneule très petite, ajouta Zadig ; elle a fait depuis peu des chiens ; elle boite du pied gauche de devant, et elle a les oreilles très longues. – Vous l'avez donc vue ? dit le premier eunuque tout essoufflé. – Non, répondit Zadig, je ne l'ai jamais vue, et je n'ai jamais su si la reine avait une chienne. »

Précisément dans le même temps, par une bizarrerie ordinaire de la fortune, le plus beau cheval de l'écurie du roi s'était échappé des mains d'un palefrenier dans les plaines de Babylone. Le grand veneur et tous les autres officiers couraient après lui avec autant d'inquiétude que le premier eunuque après la chienne. Le grand veneur s'adressa à Zadig, et lui demanda s'il n'avait point vu passer le cheval du roi. « C'est, répondit Zadig, le cheval qui galope le mieux ; il a cinq pieds de haut, le sabot fort petit ; il porte une queue de trois pieds et demi de long ; les bossettes de son mors sont d'or à vingt-trois carats ; ses fers sont d'argent à onze deniers. – Quel chemin a-t-il pris ? Où est-il ? demanda le grand veneur. – Je ne l'ai point vu, répondit Zadig, et je n'en ai jamais entendu parler. »

Le grand veneur et le premier eunuque ne doutèrent pas que Zadig n'eût volé le cheval du roi et la chienne de la reine ; ils le firent conduire devant l'assemblée du grand Desterham, qui le condamna au knout, et à passer le reste de ses jours en Sibérie. À peine le jugement fut-il rendu qu'on retrouva le cheval et la chienne. Les juges furent dans la douloureuse nécessité de réformer leur arrêt ; mais ils condamnèrent Zadig à payer quatre cents onces d'or pour avoir dit qu'il n'avait point vu ce qu'il avait vu. Il fallut d'abord payer cette amende ; après quoi il fut permis à Zadig de plaider sa cause au conseil du grand Desterham ; il parla en ces termes :

« Étoiles de justice, abîmes de science, miroirs de vérité, qui avez la pesanteur du plomb, la dureté du fer, l'éclat du diamant, et beaucoup d'affinité avec l'or, puisqu'il m'est permis de parler devant cette auguste assemblée, je vous jure par Orosmade que je n'ai jamais vu la chienne respectable de la reine, ni le cheval sacré du roi des rois. Voici ce qui m'est arrivé. Je me promenais vers le petit bois où j'ai rencontré depuis le vénérable eunuque et le très illustre grand veneur. J'ai vu sur le sable les traces d'un animal, et j'ai jugé aisément que c'étaient celles d'un petit chien. Des sillons légers et longs, imprimés sur de petites éminences de sable entre les traces des pattes, m'ont fait connaître que c'était une chienne dont les mamelles étaient pendantes, et qu'ainsi elle avait fait des petits il y a peu de jours. D'autres traces en un sens différent, qui paraissaient toujours avoir rasé la surface du sable à côté des pattes de devant, m'ont appris qu'elle avait les oreilles très longues ;

et, comme j'ai remarqué que le sable était toujours moins creusé par une patte que par les trois autres, j'ai compris que la chienne de notre auguste reine était un peu boiteuse, si je l'ose dire.

« À l'égard du cheval du roi des rois, vous saurez que, me promenant dans les routes de ce bois, j'ai aperçu les marques des fers d'un cheval ; elles étaient toutes à égales distances. Voilà, ai-je dit, un cheval qui a un galop parfait. La poussière des arbres, dans une route étroite qui n'a que sept pieds de large, était un peu enlevée à droite et à gauche, à trois pieds et demi du milieu de la route. Ce cheval, ai-je dit, a une queue de trois pieds et demi, qui, par ses mouvements de droite et de gauche, a balayé cette poussière. J'ai vu sous les arbres, qui formaient un berceau de cinq pieds de haut, les feuilles des branches nouvellement tombées ; et j'ai connu que ce cheval y avait touché, et qu'ainsi il avait cinq pieds de haut. Quant à son mors, il doit être d'or à vingt-trois carats : car il en a frotté les bossettes contre une pierre que j'ai reconnue être une pierre de touche, et dont j'ai fait l'essai. J'ai jugé enfin, par les marques que ses fers ont laissées sur des cailloux d'une autre espèce, qu'il était ferré d'argent à onze deniers de fin. »

Tous les juges admirèrent le profond et subtil discernement de Zadig ; la nouvelle en vint jusqu'au roi et à la reine. On ne parlait que de Zadig dans les antichambres, dans la chambre, et dans le cabinet ; et quoique plusieurs mages opinassent qu'on devait le brûler comme sorcier, le roi ordonna qu'on lui rendît l'amende de quatre cents onces d'or à laquelle il avait été condamné. Le greffier, les huissiers, les procureurs, vinrent chez lui en grand appareil lui rapporter ses quatre cents onces ; ils en retinrent seulement trois cent quatre-vingt-dix-huit pour les frais de justice, et leurs valets demandèrent des honoraires.

Zadig vit combien il était dangereux quelquefois d'être trop savant, et se promit bien, à la première occasion, de ne point dire ce qu'il avait vu.

Cette occasion se trouva bientôt. Un prisonnier d'État s'échappa ; il passa sous les fenêtres de sa maison. On interrogea Zadig, il ne répondit rien ; mais on lui prouva qu'il avait regardé par la fenêtre. Il fut condamné pour ce crime à cinq cents onces d'or, et il remercia ses juges de leur indulgence, selon la coutume de Babylone. « Grand Dieu ! dit-il en lui-même, qu'on est à plaindre quand on se promène dans un bois où la chienne de la reine et le cheval du roi ont passé ! qu'il est dangereux de se mettre à la fenêtre ! et qu'il est difficile d'être heureux dans cette vie ! »

L'ENVIEUX

Zadig voulut se consoler, par la philosophie et par l'amitié, des maux que lui avait faits la fortune. Il avait, dans un faubourg de Babylone, une maison ornée avec goût, où il rassemblait tous les arts et tous les plaisirs dignes d'un honnête homme. Le matin, sa bibliothèque était ouverte à tous les savants ; le soir, sa table l'était à la bonne compagnie ; mais il connut bientôt combien les savants sont dangereux ; il s'éleva une grande dispute sur une loi de Zoroastre, qui défendait de manger du griffon. « Comment défendre le griffon, disaient les uns, si cet animal n'existe pas ? – Il faut bien qu'il existe, disaient les autres, puisque Zoroastre ne veut pas qu'on en mange. » Zadig voulut les accorder en leur disant : « S'il y a des griffons, n'en mangeons point ; s'il n'y

en a point, nous en mangerons encore moins ; et par
là nous obéirons tous à Zoroastre. »

Un savant, qui avait composé treize volumes sur
les propriétés du griffon, et qui de plus était grand
théurgite, se hâta d'aller accuser Zadig devant un
archimage nommé Yébor, le plus sot des Chaldéens,
et partant le plus fanatique. Cet homme aurait fait
empaler Zadig pour la plus grande gloire du soleil,
et en aurait récité le bréviaire de Zoroastre d'un ton
plus satisfait. L'ami Cador (un ami vaut mieux que
cent prêtres) alla trouver le vieux Yébor, et lui dit :
« Vivent le soleil et les griffons ! gardez-vous bien
de punir Zadig : c'est un saint ; il a des griffons dans
sa basse-cour, et il n'en mange point ; et son accu-
sateur est un hérétique qui ose soutenir que les lapins
ont le pied fendu, et ne sont point immondes. – Eh
bien ! dit Yébor en branlant sa tête chauve, il faut
empaler Zadig pour avoir mal pensé des griffons, et
l'autre pour avoir mal parlé des lapins. » Cador apaisa
l'affaire par le moyen d'une fille d'honneur à laquelle
il avait fait un enfant, et qui avait beaucoup de crédit
dans le collège des mages. Personne ne fut empalé ;
de quoi plusieurs docteurs murmurèrent, et en présa-
gèrent la décadence de Babylone. Zadig s'écria : « À
quoi tient le bonheur ! Tout me persécute dans ce
monde, jusqu'aux êtres qui n'existent pas. » Il mau-
dit les savants, et ne voulut plus vivre qu'en bonne
compagnie.

Il rassemblait chez lui les plus honnêtes gens de
Babylone, et les dames les plus aimables ; il donnait
des soupers délicats, souvent précédés de concerts, et
animés par des conversations charmantes dont il
avait su bannir l'empressement de montrer de
l'esprit, qui est la plus sûre manière de n'en point
avoir, et de gâter la société la plus brillante. Ni le

choix de ses amis, ni celui des mets, n'étaient faits par la vanité : car en tout il préférait l'être au paraître, et par là il s'attirait la considération véritable à laquelle il ne prétendait pas.

Vis-à-vis sa maison demeurait Arimaze, personnage dont la méchante âme était peinte sur sa grossière physionomie. Il était rongé de fiel et bouffi d'orgueil, et pour comble, c'était un bel esprit ennuyeux. N'ayant jamais pu réussir dans le monde, il se vengeait par en médire. Tout riche qu'il était, il avait de la peine à rassembler chez lui des flatteurs. Le bruit des chars qui entraient le soir chez Zadig l'importunait, le bruit de ses louanges l'irritait davantage. Il allait quelquefois chez Zadig, et se mettait à table sans être prié : il y corrompait toute la joie de la société, comme on dit que les harpies infectent les viandes qu'elles touchent. Il lui arriva un jour de vouloir donner une fête à une dame qui, au lieu de la recevoir, alla souper chez Zadig. Un autre jour, causant avec lui dans le palais, ils abordèrent un ministre qui pria Zadig à souper, et ne pria point Arimaze. Les plus implacables haines n'ont pas souvent des fondements plus importants. Cet homme, qu'on appelait l'Envieux dans Babylone, voulut perdre Zadig parce qu'on l'appelait l'Heureux. L'occasion de faire du mal se trouve cent fois par jour, et celle de faire du bien, une fois dans l'année, comme dit Zoroastre.

L'envieux alla chez Zadig, qui se promenait dans ses jardins avec deux amis et une dame à laquelle il disait souvent des choses galantes, sans autre intention que celle de les dire. La conversation roulait sur une guerre que le roi venait de terminer heureusement contre le prince d'Hyrcanie, son vassal. Zadig, qui avait signalé son courage dans cette courte

guerre, louait beaucoup le roi et encore plus la dame.
Il prit ses tablettes, et écrivit quatre vers qu'il fit
sur-le-champ, et qu'il donna à lire à cette belle
personne.

Ses amis le prièrent de leur en faire part : la
modestie, ou plutôt un amour-propre bien entendu,
l'en empêcha. Il savait que des vers impromptus ne
sont jamais bons que pour celle en l'honneur de qui
ils sont faits : il brisa en deux la feuille des tablettes
sur laquelle il venait d'écrire, et jeta les deux moitiés
dans un buisson de roses, où on les chercha inutilement. Une petite pluie survint ; on regagna la maison.
L'envieux, qui resta dans le jardin, chercha tant, qu'il
trouva un morceau de la feuille. Elle avait été tellement rompue que chaque moitié de vers qui remplissait la ligne faisait un sens, et même un vers d'une
plus petite mesure ; mais, par un hasard encore plus
étrange, ces petits vers se trouvaient former un sens
qui contenait les injures les plus horribles contre le
roi ; on y lisait :

> Par les plus grands forfaits
> Sur le trône affermi
> Dans la publique paix
> C'est le seul ennemi.

L'envieux fut heureux pour la première fois de sa
vie. Il avait entre les mains de quoi perdre un homme
vertueux et aimable. Plein de cette cruelle joie, il fit
parvenir jusqu'au roi cette satire écrite de la main de
Zadig : on le fit mettre en prison, lui, ses deux amis,
et la dame. Son procès lui fut bientôt fait, sans qu'on
daignât l'entendre. Lorsqu'il vint recevoir sa sentence, l'envieux se trouva sur son passage et lui dit
tout haut que ses vers ne valaient rien. Zadig ne se
piquait pas d'être bon poète ; mais il était au déses-

poir d'être condamné comme criminel de lèse-
majesté, et de voir qu'on retînt en prison une belle
dame et deux amis pour un crime qu'il n'avait pas
fait. On ne lui permit pas de parler, parce que ses
tablettes parlaient : telle était la loi de Babylone. On
le fit donc aller au supplice à travers une foule de
curieux dont aucun n'osait le plaindre, et qui se
précipitaient pour examiner son visage et pour voir
s'il mourrait avec bonne grâce. Ses parents seulement étaient affligés, car ils n'héritaient pas. Les trois
quarts de son bien étaient confisqués au profit du roi,
et l'autre quart au profit de l'envieux.

Dans le temps qu'il se préparait à la mort, le
perroquet du roi s'envola de son balcon, et s'abattit
dans le jardin de Zadig sur un buisson de roses. Une
pêche y avait été portée d'un arbre voisin par le vent ;
elle était tombée sur un morceau de tablettes à écrire
auquel elle s'était collée. L'oiseau enleva la pêche et
la tablette, et les porta sur les genoux du monarque.
Le prince, curieux, y lut des mots qui ne formaient
aucun sens, et qui paraissaient des fins de vers. Il
aimait la poésie, et il y a toujours de la ressource avec
les princes qui aiment les vers : l'aventure de son
perroquet le fit rêver. La reine, qui se souvenait de
ce qui avait été écrit sur une pièce de la tablette de
Zadig, se la fit apporter. On confronta les deux mor-
ceaux, qui s'ajustaient ensemble parfaitement ; on lut
alors les vers tels que Zadig les avait faits :

Par les plus grands forfaits j'ai vu troubler la terre.
Sur le trône affermi le roi sait tout dompter.
Dans la publique paix l'amour seul fait la guerre :
C'est le seul ennemi qui soit à redouter.

Le roi ordonna aussitôt qu'on fît venir Zadig
devant lui, et qu'on fît sortir de prison ses deux amis

et la belle dame. Zadig se jeta le visage contre terre, aux pieds du roi et de la reine : il leur demanda très humblement pardon d'avoir fait de mauvais vers ; il parla avec tant de grâce, d'esprit, et de raison, que le roi et la reine voulurent le revoir. Il revint, et plut encore davantage. On lui donna tous les biens de l'envieux, qui l'avait injustement accusé : mais Zadig les rendit tous, et l'envieux ne fut touché que du plaisir de ne pas perdre son bien. L'estime du roi s'accrut de jour en jour pour Zadig. Il le mettait de tous ses plaisirs, et le consultait dans toutes ses affaires. La reine le regarda dès lors avec une complaisance qui pouvait devenir dangereuse pour elle, pour le roi son auguste époux, pour Zadig, et pour le royaume. Zadig commençait à croire qu'il n'est pas difficile d'être heureux.

LES GÉNÉREUX

Le temps arriva où l'on célébrait une grande fête qui revenait tous les cinq ans. C'était la coutume à Babylone de déclarer solennellement au bout de cinq années, celui des citoyens qui avait fait l'action la plus généreuse. Les grands et les mages étaient les juges. Le premier satrape, chargé du soin de la ville, exposait les plus belles actions qui s'étaient passées sous son gouvernement. On allait aux voix : le roi prononçait le jugement. On venait à cette solennité des extrémités de la terre. Le vainqueur recevait des mains du monarque une coupe d'or garnie de pierreries, et le roi lui disait ces paroles : « Recevez ce prix de la générosité, et puissent les dieux me donner beaucoup de sujets qui vous ressemblent ! »

Ce jour mémorable venu, le roi parut sur son trône, environné des grands, des mages, et des députés de

toutes les nations, qui venaient à ces jeux où la gloire
s'acquérait, non par la légèreté des chevaux, non par
la force du corps, mais par la vertu. Le premier
satrape rapporta à haute voix les actions qui pouvaient mériter à leurs auteurs ce prix inestimable. Il
ne parla point de la grandeur d'âme avec laquelle
Zadig avait rendu à l'envieux toute sa fortune : ce
n'était pas une action qui méritât de disputer le prix.

Il présenta d'abord un juge qui, ayant fait perdre
un procès considérable à un citoyen, par une méprise
dont il n'était pas même responsable, lui avait donné
tout son bien, qui était la valeur de ce que l'autre
avait perdu.

Il produisit ensuite un jeune homme qui, étant
éperdument épris d'une fille qu'il allait épouser,
l'avait cédée à un ami près d'expirer d'amour pour
elle, et qui avait encore payé la dot en cédant la fille.

Ensuite il fit paraître un soldat qui, dans la guerre
d'Hyrcanie, avait donné encore un plus grand exemple de générosité. Des soldats ennemis lui enlevaient
sa maîtresse, et il la défendait contre eux : on vint
lui dire que d'autres Hyrcaniens enlevaient sa mère
à quelques pas de là ; il quitta en pleurant sa maîtresse, et courut délivrer sa mère ; il retourna ensuite
vers celle qu'il aimait, et la trouva expirante. Il voulut
se tuer : sa mère lui remontra qu'elle n'avait que lui
pour tout secours, et il eut le courage de souffrir la
vie.

Les juges penchaient pour ce soldat. Le roi prit la
parole, et dit : « Son action et celle des autres sont
belles, mais elles ne m'étonnent point ; hier, Zadig
en a fait une qui m'a étonné. J'avais disgracié depuis
quelques jours mon ministre et mon favori Coreb. Je
me plaignais de lui avec violence, et tous mes courtisans m'assuraient que j'étais trop doux : c'était à

qui me dirait le plus de mal de Coreb. Je demandai à Zadig ce qu'il en pensait, et il osa en dire du bien. J'avoue que j'ai vu, dans nos histoires, des exemples qu'on a payé de son bien une erreur, qu'on a cédé sa maîtresse, qu'on a préféré une mère à l'objet de son amour ; mais je n'ai jamais lu qu'un courtisan ait parlé avantageusement d'un ministre disgracié contre qui son souverain était en colère. Je donne vingt mille pièces d'or à chacun de ceux dont on vient de réciter les actions généreuses ; mais je donne la coupe à Zadig.

— Sire, lui dit-il, c'est Votre Majesté seule qui mérite la coupe, c'est elle qui a fait l'action la plus inouïe, puisque, étant roi, vous ne vous êtes point fâché contre votre esclave, lorsqu'il contredisait votre passion. »

On admira le roi et Zadig. Le juge qui avait donné son bien, l'amant qui avait marié sa maîtresse à son ami, le soldat qui avait préféré le salut de sa mère à celui de sa maîtresse, reçurent les présents du monarque : ils virent leurs noms écrits dans le livre des généreux. Zadig eut la coupe. Le roi acquit la réputation d'un bon prince, qu'il ne garda pas longtemps. Ce jour fut consacré par des fêtes plus longues que la loi ne le portait. La mémoire s'en conserve encore dans l'Asie. Zadig disait : « Je suis donc enfin heureux ! » Mais il se trompait.

LE MINISTRE

Le roi avait perdu son premier ministre. Il choisit Zadig pour remplir cette place. Toutes les belles dames de Babylone applaudirent à ce choix ; car depuis la fondation de l'empire il n'y avait jamais eu de ministre si jeune. Tous les courtisans furent fâchés ; l'envieux en eut un crachement de sang, et le nez lui enfla prodigieusement. Zadig, ayant remercié le roi et la reine, alla remercier aussi le perroquet : « Bel oiseau, lui dit-il, c'est vous qui m'avez sauvé la vie, et qui m'avez fait premier ministre : la chienne et le cheval de Leurs Majestés m'avaient fait beaucoup de mal, mais vous m'avez fait du bien. Voilà donc de quoi dépendent les destins des hommes ! Mais, ajouta-t-il, un bonheur si étrange sera peut-être bientôt évanoui. » Le perroquet répondit : « Oui. » Ce mot frappa Zadig. Cependant, comme il était bon physicien, et qu'il ne croyait pas que les perroquets fussent prophètes, il se rassura bientôt et se mit à exercer son ministère de son mieux.

Il fit sentir à tout le monde le pouvoir sacré des lois, et ne fit sentir à personne le poids de sa dignité. Il ne gêna point les voix du divan [1], et chaque vizir pouvait avoir un avis sans lui déplaire. Quand il jugeait une affaire, ce n'était pas lui qui jugeait, c'était la loi ; mais quand elle était trop sévère, il la tempérait ; et quand on manquait de lois, son équité en faisait qu'on aurait prises pour celles de Zoroastre.

C'est de lui que les nations tiennent ce grand principe : qu'il vaut mieux hasarder de sauver un coupable que de condamner un innocent. Il croyait que les lois étaient faites pour secourir les citoyens autant que pour les intimider. Son principal talent était de démêler la vérité, que tous les hommes cherchent à obscurcir. Dès les premiers jours de son administration il mit ce grand talent en usage. Un fameux négociant de Babylone était mort aux Indes ; il avait fait ses héritiers ses deux fils par portions égales, après avoir marié leur sœur, et il laissait un

1. De l'arabe *diwan* : conseil, tribunal.

présent de trente mille pièces d'or à celui de ses deux
fils qui serait jugé l'aimer davantage. L'aîné lui bâtit
un tombeau, le second augmenta d'une partie de son
héritage la dot de sa sœur ; chacun disait : « C'est
l'aîné qui aime le mieux son père, le cadet aime
mieux sa sœur ; c'est à l'aîné qu'appartiennent les
trente mille pièces. »

Zadig les fit venir tous deux l'un après l'autre. Il
dit à l'aîné : « Votre père n'est point mort, il est guéri
de sa dernière maladie, il revient à Babylone. – Dieu
soit loué, répondit le jeune homme ; mais voilà un
tombeau qui m'a coûté bien cher ! » Zadig dit ensuite
la même chose au cadet. « Dieu soit loué, répondit-
il ; je vais rendre à mon père tout ce que j'ai ; mais
je voudrais qu'il laissât à ma sœur ce que je lui ai
donné. – Vous ne rendrez rien, dit Zadig, et vous
aurez les trente mille pièces : c'est vous qui aimez
le mieux votre père. »

Une fille fort riche avait fait une promesse de
mariage à deux mages, et, après avoir reçu quelques
mois des instructions de l'un et de l'autre, elle se
trouva grosse. Ils voulaient tous deux l'épouser. « Je
prendrai pour mon mari, dit-elle, celui des deux
qui m'a mise en état de donner un citoyen à l'empire. – C'est moi qui ai fait cette bonne œuvre, dit
l'un. – C'est moi qui ai eu cet avantage, dit l'autre.
– Eh bien ! répondit-elle, je reconnais pour père de
l'enfant celui des deux qui lui pourra donner la meilleure éducation. » Elle accoucha d'un fils. Chacun
des mages veut l'élever. La cause est portée devant
Zadig. Il fait venir les deux mages. « Qu'enseigne-
ras-tu à ton pupille ? dit-il au premier. – Je lui
apprendrai, dit le docteur, les huit parties d'oraison,
la dialectique, l'astrologie, la démonomanie ; ce que
c'est que la substance et l'accident, l'abstrait et le

concret, les monades et l'harmonie préétablie. – Moi,
dit le second, je tâcherai de le rendre juste et digne
d'avoir des amis. » Zadig prononça : « Que tu sois
son père ou non, tu épouseras sa mère. »

LES DISPUTES ET LES AUDIENCES

C'est ainsi qu'il montrait tous les jours la subtilité
de son génie et la bonté de son âme ; on l'admirait,
et cependant on l'aimait. Il passait pour le plus fortuné de tous les hommes, tout l'empire était rempli
de son nom ; toutes les femmes le lorgnaient ; tous
les citoyens célébraient sa justice ; les savants le
regardaient comme leur oracle ; les prêtres même
avouaient qu'il en savait plus que le vieux archimage
Yébor. On était bien loin alors de lui faire des procès
sur les griffons ; on ne croyait que ce qui lui semblait
croyable.

Il y avait une grande querelle dans Babylone, qui
durait depuis quinze cents années, et qui partageait
l'empire en deux sectes opiniâtres : l'une prétendait
qu'il ne fallait jamais entrer dans le temple de Mithra
que du pied gauche ; l'autre avait cette coutume en
abomination, et n'entrait jamais que du pied droit.
On attendait le jour de la fête solennelle du feu sacré
pour savoir quelle secte serait favorisée par Zadig.
L'univers avait les yeux sur ses deux pieds, et toute
la ville était en agitation et en suspens. Zadig entra
dans le temple en sautant à pieds joints, et il prouva
ensuite, par un discours éloquent, que le Dieu du ciel
et de la terre, qui n'a acception de personne, ne fait
pas plus de cas de la jambe gauche que de la jambe
droite.

L'envieux et sa femme prétendirent que dans son
discours il n'y avait pas assez de figures, qu'il n'avait

pas fait assez danser les montagnes et les collines.
« Il est sec et sans génie, disaient-ils ; on ne voit chez
lui ni la mer s'enfuir, ni les étoiles tomber, ni le soleil
se fondre comme de la cire : il n'a point le bon style
oriental. » Zadig se contentait d'avoir le style de la
raison. Tout le monde fut pour lui, non pas parce
qu'il était dans le bon chemin, non pas parce qu'il
était raisonnable, non pas parce qu'il était aimable,
mais parce qu'il était premier vizir.

Il termina aussi heureusement le grand procès
entre les mages blancs et les mages noirs. Les blancs
soutenaient que c'était une impiété de se tourner, en
priant Dieu, vers l'orient d'hiver ; les noirs assuraient que Dieu avait en horreur les prières des hommes qui se tournaient vers le couchant d'été. Zadig
ordonna qu'on se tournât comme on voudrait.

Il trouva ainsi le secret d'expédier, le matin, les
affaires particulières et les générales ; le reste du
jour, il s'occupait des embellissements de Babylone :
il faisait représenter des tragédies où l'on pleurait, et
des comédies où l'on riait, ce qui était passé de mode
depuis longtemps, et ce qu'il fit renaître parce qu'il
avait du goût. Il ne prétendait pas en savoir plus que
les artistes ; il les récompensait par des bienfaits et
des distinctions, et n'était point jaloux en secret de
leurs talents. Le soir, il amusait beaucoup le roi, et
surtout la reine. Le roi disait : « Le grand ministre ! »
La reine disait : « L'aimable ministre ! » et tous deux
ajoutaient : « C'eût été grand dommage qu'il eût été
pendu. »

Jamais homme en place ne fut obligé de donner
tant d'audiences aux dames. La plupart venaient lui
parler des affaires qu'elles n'avaient point, pour en
avoir une avec lui. La femme de l'envieux s'y présenta des premières ; elle lui jura par Mithra, par

Zenda-Vesta, et par le feu sacré, qu'elle avait détesté
la conduite de son mari ; elle lui confia ensuite que
ce mari était un jaloux, un brutal ; elle lui fit entendre
que les dieux le punissaient en lui refusant les précieux effets de ce feu sacré par lequel seul l'homme
est semblable aux immortels : elle finit par laisser
tomber sa jarretière ; Zadig la ramassa avec sa poli-
tesse ordinaire ; mais il ne la rattacha point au genou
de la dame ; et cette petite faute, si c'en est une,
fut la cause des plus horribles infortunes. Zadig
n'y pensa pas, et la femme de l'envieux y pensa
beaucoup.

D'autres dames se présentaient tous les jours. Les
annales secrètes de Babylone prétendent qu'il suc-
comba une fois, mais qu'il fut tout étonné de jouir
sans volupté, et d'embrasser son amante avec dis-
traction. Celle à qui il donna, sans presque s'en
apercevoir, des marques de sa protection, était une
femme de chambre de la reine Astarté. Cette tendre
Babylonienne se disait à elle-même pour se consoler : « Il faut que cet homme-là ait prodigieusement d'affaires dans la tête, puisqu'il y songe encore
même en faisant l'amour. » Il échappa à Zadig, dans
les instants où plusieurs personnes ne disent mot, et
où d'autres ne prononcent que des paroles sacrées, de
s'écrier tout d'un coup : « La reine ! » La Babylonienne crut qu'enfin il était revenu à lui dans un bon
moment, et qu'il lui disait : « Ma reine. » Mais
Zadig, toujours très distrait, prononça le nom
d'Astarté. La dame, qui dans ces heureuses circonstances interprétait tout à son avantage, s'imagina que
cela voulait dire : « Vous êtes plus belle que la reine
Astarté. » Elle sortit du sérail de Zadig avec de
très beaux présents. Elle alla conter son aventure à
l'envieuse, qui était son amie intime ; celle-ci fut

cruellement piquée de la préférence. « Il n'a pas daigné seulement, dit-elle, me rattacher cette jarretière que voici, et dont je ne veux plus me servir. – Oh ! oh ! dit la fortunée à l'envieuse, vous portez les mêmes jarretières que la reine ! Vous les prenez donc chez la même faiseuse ? » L'envieuse rêva profondément, ne répondit rien, et alla consulter son mari l'envieux.

Cependant Zadig s'apercevait qu'il avait toujours des distractions quand il donnait des audiences et quand il jugeait ; il ne savait à quoi les attribuer : c'était là sa seule peine.

Il eut un songe : il lui semblait qu'il était couché d'abord sur des herbes sèches, parmi lesquelles il y en avait quelques-unes de piquantes qui l'incommodaient ; et qu'ensuite il reposait mollement sur un lit de roses, dont il sortait un serpent qui le blessait au cœur de sa langue acérée et envenimée. « Hélas ! disait-il, j'ai été longtemps couché sur ces herbes sèches et piquantes, je suis maintenant sur le lit de roses, mais quel sera le serpent ? »

LA JALOUSIE

Le malheur de Zadig vint de son bonheur même, et surtout de son mérite. Il avait tous les jours des entretiens avec le roi et avec Astarté, son auguste épouse. Les charmes de sa conversation redoublaient encore par cette envie de plaire qui est à l'esprit ce que la parure est à la beauté ; sa jeunesse et ses grâces firent insensiblement sur Astarté une impression dont elle ne s'aperçut pas d'abord. Sa passion croissait dans le sein de l'innocence. Astarté se livrait sans scrupule et sans crainte au plaisir de voir et d'entendre un homme cher à son époux et à l'État ; elle ne cessait de le vanter au roi ; elle en parlait à ses femmes, qui enchérissaient encore sur ses louanges ; tout servait à enfoncer dans son cœur le trait qu'elle ne sentait pas. Elle faisait des présents à Zadig, dans lesquels il entrait plus de galanterie qu'elle ne pensait ; elle croyait ne lui parler qu'en reine contente de ses services, et quelquefois ses expressions étaient d'une femme sensible.

Astarté était beaucoup plus belle que cette Sémire qui haïssait tant les borgnes, et que cette autre femme qui avait voulu couper le nez à son époux. La familiarité d'Astarté, ses discours tendres, dont elle commençait à rougir, ses regards, qu'elle voulait détourner, et qui se fixaient sur les siens, allumèrent dans le cœur de Zadig un feu dont il s'étonna. Il combattit ; il appela à son secours la philosophie, qui l'avait toujours secouru ; il n'en tira que des lumières, et n'en reçut aucun soulagement. Le devoir, la reconnaissance, la majesté souveraine violée, se présentaient à ses yeux comme des dieux vengeurs ; il combattait, il triomphait ; mais cette victoire, qu'il fallait remporter à tout moment, lui coûtait des gémissements et des larmes. Il n'osait plus parler à la reine avec cette douce liberté qui avait eu tant de charmes pour tous deux : ses yeux se couvraient d'un nuage ; ses discours étaient contraints et sans suite : il baissait la vue ; et quand, malgré lui, ses regards se tournaient vers Astarté, ils rencontraient ceux de la reine mouillés de pleurs, dont il partait des traits de flamme ; ils semblaient se dire l'un à l'autre : « Nous nous adorons, et nous craignons de nous aimer ; nous brûlons tous deux d'un feu que nous condamnons. »

Zadig sortait d'auprès d'elle égaré, éperdu, le cœur surchargé d'un fardeau qu'il ne pouvait plus porter : dans la violence de ses agitations, il laissa pénétrer son secret à son ami Cador, comme un homme qui, ayant soutenu longtemps les atteintes d'une vive douleur, fait enfin connaître son mal par un cri qu'un redoublement aigu lui arrache, et par la sueur froide qui coule sur son front.

Cador lui dit : « J'ai déjà démêlé les sentiments que vous vouliez vous cacher à vous-même ; les passions ont des signes auxquels on ne peut se méprendre. Jugez, mon cher Zadig, puisque j'ai lu dans votre cœur, si le roi n'y découvrira pas un sentiment qui l'offense. Il n'a d'autre défaut que celui d'être le plus jaloux des hommes. Vous résistez à votre passion avec plus de force que la reine ne combat la sienne, parce que vous êtes philosophe, et parce que vous êtes Zadig. Astarté est femme ; elle laisse parler ses regards avec d'autant plus d'imprudence qu'elle ne se croit pas encore coupable. Malheureusement, rassurée sur son innocence, elle néglige des dehors nécessaires. Je tremblerai pour elle tant qu'elle n'aura rien à se reprocher. Si vous étiez d'accord l'un et l'autre, vous sauriez tromper tous les yeux : une passion naissante et combattue éclate ; un amour satisfait sait se cacher. » Zadig frémit à la proposition de trahir le roi, son bienfaiteur ; et jamais il ne fut plus fidèle à son prince que quand il fut coupable envers lui d'un crime involontaire. Cependant la reine prononçait si souvent le nom de Zadig, son front se couvrait de tant de rougeur en le prononçant, elle était tantôt si animée, tantôt si interdite, quand elle lui parlait en présence du roi ; une rêverie si profonde s'emparait d'elle quand il était sorti, que le roi fut troublé. Il crut tout ce qu'il voyait, et imagina tout ce qu'il ne voyait point. Il remarqua surtout que les babouches de sa femme étaient bleues, et que les babouches de Zadig étaient bleues, que les rubans de sa femme étaient jaunes, et que le bonnet de Zadig était jaune ; c'étaient là de terribles indices pour un prince délicat. Les soupçons se tournèrent en certitude dans son esprit aigri.

Tous les esclaves des rois et des reines sont autant d'espions de leurs cœurs. On pénétra bientôt qu'Astarté était tendre, et que Moabdar était jaloux. L'envieux engagea l'envieuse à envoyer au roi sa jarretière, qui ressemblait à celle de la reine. Pour surcroît de malheur, cette jarretière était bleue. Le monarque ne songea plus qu'à la manière de se venger. Il résolut une nuit d'empoisonner la reine, et de faire mourir Zadig par le cordeau au point du jour. L'ordre en fut donné à un impitoyable eunuque, exécuteur de ses vengeances. Il y avait alors dans la chambre du roi un petit nain qui était muet, mais qui n'était pas sourd. On le souffrait toujours : il était témoin de ce qui se passait de plus secret, comme un animal domestique. Ce petit muet était très attaché à la reine et à Zadig. Il entendit, avec autant de surprise que d'horreur, donner l'ordre de leur mort. Mais comment faire pour prévenir cet ordre effroyable qui allait s'exécuter dans peu d'heures ? Il ne savait pas écrire ; mais il avait appris à peindre, et savait surtout faire ressembler. Il passa une partie de la nuit à crayonner ce qu'il voulait faire entendre à la reine. Son dessin représentait le roi agité de fureur, dans un coin du tableau, donnant des ordres à son eunuque ; un cordeau bleu et un vase sur une table, avec des jarretières bleues et des rubans jaunes ; la reine, dans le milieu du tableau, expirante entre les bras de ses femmes et Zadig étranglé à ses pieds. L'horizon représentait un soleil levant pour marquer que cette horrible exécution devait se faire aux pre-

miers rayons de l'aurore. Dès qu'il eut fini cet
ouvrage, il courut chez une femme d'Astarté, la
réveilla, et lui fit entendre qu'il fallait dans l'instant
même porter ce tableau à la reine.

Cependant, au milieu de la nuit, on vient frapper
à la porte de Zadig ; on le réveille ; on lui donne un
billet de la reine ; il doute si c'est un songe ; il ouvre
la lettre d'une main tremblante. Quelle fut sa surprise, et qui pourrait exprimer la consternation et le
désespoir dont il fut accablé quand il lut ces paroles :
« Fuyez, dans l'instant même, ou l'on va vous arracher la vie ! Fuyez, Zadig, je vous l'ordonne au nom
de notre amour et de mes rubans jaunes. Je n'étais
point coupable ; mais je sens que je vais mourir
criminelle. »

Zadig eut à peine la force de parler. Il ordonna
qu'on fît venir Cador et, sans lui rien dire, il lui donna
ce billet. Cador le força d'obéir, et de prendre sur-
le-champ la route de Memphis. « Si vous osez aller
trouver la reine, lui dit-il, vous hâtez sa mort ; si vous
parlez au roi, vous la perdez encore. Je me charge
de sa destinée ; suivez la vôtre. Je répandrai le bruit
que vous avez pris la route des Indes. Je viendrai
bientôt vous trouver, et je vous apprendrai ce qui se
sera passé à Babylone. »

Cador, dans le moment même, fit placer deux
dromadaires des plus légers à la course vers une porte
secrète du palais ; il y fit monter Zadig, qu'il fallut
porter, et qui était près de rendre l'âme. Un seul
domestique l'accompagna ; et bientôt Cador, plongé
dans l'étonnement et dans la douleur, perdit son ami
de vue.

Cet illustre fugitif, arrivé sur le bord d'une colline
dont on voyait Babylone, tourna la vue sur le palais
de la reine, et s'évanouit ; il ne reprit ses sens que

pour verser des larmes et pour souhaiter la mort.
Enfin, après s'être occupé de la destinée déplorable
de la plus aimable des femmes et de la première reine
du monde, il fit un moment de retour sur lui-même,
et s'écria : « Qu'est-ce donc que la vie humaine ? Ô
vertu ! à quoi m'avez-vous servi ? Deux femmes
m'ont indignement trompé ; la troisième, qui n'est
point coupable, et qui est plus belle que les autres,
va mourir ! Tout ce que j'ai fait de bien a toujours
été pour moi une source de malédictions, et je n'ai
été élevé au comble de la grandeur que pour tomber
dans le plus horrible précipice de l'infortune. Si
j'eusse été méchant comme tant d'autres, je serais
heureux comme eux. » Accablé de ces réflexions
funestes, les yeux chargés du voile de la douleur, la
pâleur de la mort sur le visage, et l'âme abîmée
dans l'excès d'un sombre désespoir, il continuait son
voyage vers l'Égypte.

LA FEMME BATTUE

Zadig dirigeait sa route sur les étoiles. La constel-
lation d'Orion et le brillant astre de Sirius le gui-
daient vers le pôle de Canope[1]. Il admirait ces vastes
globes de lumière qui ne paraissent que de faibles
étincelles à nos yeux, tandis que la terre, qui n'est
en effet qu'un point imperceptible dans la nature,
paraît à notre cupidité quelque chose de si grand et
de si noble. Il se figurait alors les hommes tels qu'ils
sont en effet, des insectes se dévorant les uns les
autres sur un petit atome de boue. Cette image vraie
semblait anéantir ses malheurs, en lui retraçant le
néant de son être et celui de Babylone. Son âme

1. Vers le sud.

s'élançait jusque dans l'infini, et contemplait, détachée de ses sens, l'ordre immuable de l'univers. Mais lorsque ensuite, rendu à lui-même et rentrant dans son cœur, il pensait qu'Astarté était peut-être morte pour lui, l'univers disparaissait à ses yeux, et il ne voyait dans la nature entière qu'Astarté mourante et Zadig infortuné.

Comme il se livrait à ce flux et à ce reflux de philosophie sublime et de douleur accablante, il avançait vers les frontières de l'Égypte ; et déjà son domestique fidèle était dans la première bourgade, où il lui cherchait un logement. Zadig cependant se promenait vers les jardins qui bordaient ce village. Il vit, non loin du grand chemin, une femme éplorée qui appelait le ciel et la terre à son secours, et un homme furieux qui la suivait. Elle était déjà atteinte par lui, elle embrassait ses genoux. Cet homme l'accablait de coups et de reproches. Il jugea, à la violence de l'Égyptien et aux pardons réitérés que lui demandait la dame, que l'un était un jaloux, et l'autre une infidèle ; mais quand il eut considéré cette femme, qui était d'une beauté touchante, et qui même ressemblait un peu à la malheureuse Astarté, il se sentit pénétré de compassion pour elle, et d'horreur pour l'Égyptien. « Secourez-moi, s'écria-t-elle à Zadig avec des sanglots ; tirez-moi des mains du plus barbare des hommes, sauvez-moi la vie ! »

À ces cris, Zadig courut se jeter entre elle et ce barbare. Il avait quelque connaissance de la langue égyptienne. Il lui dit en cette langue : « Si vous avez quelque humanité, je vous conjure de respecter la beauté et la faiblesse. Pouvez-vous outrager ainsi un chef-d'œuvre de la nature, qui est à vos pieds, et qui n'a pour sa défense que des larmes ? – Ah ! ah ! lui dit cet emporté, tu l'aimes donc aussi ! et c'est de toi

qu'il faut que je me venge. » En disant ces paroles,
il laisse la dame, qu'il tenait d'une main par les cheveux, et, prenant sa lance, il veut en percer l'étranger,
Celui-ci, qui était de sang-froid, évita aisément le
coup d'un furieux. Il se saisit de la lance près du fer
dont elle est armée. L'un veut la retirer, l'autre l'arracher. Elle se brise entre leurs mains. L'Égyptien tire
son épée ; Zadig s'arme de la sienne. Ils s'attaquent
l'un l'autre. Celui-ci porte cent coups précipités ;
celui-là les pare avec adresse. La dame, assise sur un
gazon, rajuste sa coiffure et les regarde. L'Égyptien
était plus robuste que son adversaire, Zadig était plus
adroit. Celui-ci se battait en homme dont la tête
conduisait le bras, et celui-là comme un emporté
dont une colère aveugle guidait les mouvements au
hasard. Zadig passe à lui, et le désarme ; et tandis
que l'Égyptien, devenu plus furieux, veut se jeter sur
lui, il le saisit, le presse, le fait tomber en lui tenant
l'épée sur la poitrine ; il lui offre de lui donner la
vie. L'Égyptien, hors de lui, tire son poignard ; il en
blesse Zadig dans le temps même que le vainqueur
lui pardonnait. Zadig, indigné, lui plonge son épée
dans le sein. L'Égyptien jette un cri horrible, et meurt
en se débattant. Zadig alors s'avança vers la dame, et
lui dit d'une voix soumise : « Il m'a forcé de le tuer :
je vous ai vengée ; vous êtes délivrée de l'homme le
plus violent que j'aie jamais vu. Que voulez-vous
maintenant de moi, madame ? – Que tu meures, scélérat, lui répondit-elle, que tu meures ! tu as tué mon
amant ; je voudrais pouvoir déchirer ton cœur. – En
vérité, madame, vous aviez là un étrange homme
pour amant, lui répondit Zadig ; il vous battait de
toutes ses forces et il voulait m'arracher la vie parce
que vous m'avez conjuré de vous secourir. – Je
voudrais qu'il me battît encore, reprit la dame en

poussant des cris. Je le méritais bien, je lui avais donné de la jalousie. Plût au ciel qu'il me battît, et que tu fusses à sa place ! » Zadig, plus surpris et plus en colère qu'il ne l'avait été de sa vie, lui dit : « Madame, toute belle que vous êtes, vous mériteriez que je vous battisse à mon tour, tant vous êtes extravagante ; mais je n'en prendrai pas la peine. » Là-dessus il remonta sur son chameau, et avança vers le bourg. À peine avait-il fait quelques pas qu'il se retourne au bruit que faisaient quatre courriers de Babylone. Ils venaient à toute bride. L'un d'eux, en voyant cette femme, s'écria : « C'est elle-même ! Elle ressemble au portrait qu'on nous en a fait. » Ils ne s'embarrassèrent pas du mort, et se saisirent incontinent de la dame. Elle ne cessait de crier à Zadig : « Secourez-moi encore une fois, étranger généreux ! je vous demande pardon de m'être plainte de vous : secourez-moi, et je suis à vous jusqu'au tombeau ! » L'envie avait passé à Zadig de se battre désormais pour elle. « À d'autres ! répondit-il, vous ne m'y attraperez plus. »

D'ailleurs il était blessé, son sang coulait, il avait besoin de secours ; et la vue des quatre Babyloniens, probablement envoyés par le roi Moabdar, le remplissait d'inquiétude. Il s'avance en hâte vers le village, n'imaginant pas pourquoi quatre courriers de Babylone venaient prendre cette Égyptienne, mais encore plus étonné du caractère de cette dame.

L'ESCLAVAGE

Comme il entrait dans la bourgade égyptienne, il se vit entouré par le peuple. Chacun criait : « Voilà celui qui a enlevé la belle Missouf, et qui vient d'assassiner Clétofis ! – Messieurs, dit-il, Dieu me

préserve d'enlever jamais votre belle Missouf ! elle
est trop capricieuse ; et, à l'égard de Clétofis, je ne
l'ai point assassiné ; je me suis défendu seulement
contre lui. Il voulait me tuer, parce que je lui avais
demandé très humblement grâce pour la belle Missouf, qu'il battait impitoyablement. Je suis un étranger qui vient chercher un asile dans l'Égypte ; et il
n'y a pas d'apparence qu'en venant demander votre
protection j'aie commencé par enlever une femme,
et par assassiner un homme. »

Les Égyptiens étaient alors justes et humains. Le
peuple conduisit Zadig à la maison de ville. On commença par le faire panser de sa blessure, et ensuite,
on l'interrogea, lui et son domestique séparément,
pour savoir la vérité. On reconnut que Zadig n'était
point un assassin ; mais il était coupable du sang d'un
homme : la loi le condamnait à être esclave. On
vendit au profit de la bourgade ses deux chameaux ; on distribua aux habitants tout l'or qu'il
avait apporté ; sa personne fut exposée en vente dans
la place publique, ainsi que celle de son compagnon
de voyage. Un marchand arabe, nommé Sétoc, y mit
l'enchère ; mais le valet, plus propre à la fatigue, fut
vendu bien plus chèrement que le maître. On ne faisait pas de comparaison entre ces deux hommes.
Zadig fut donc esclave subordonné à son valet : on
les attacha ensemble avec une chaîne qu'on leur
passa aux pieds, et en cet état ils suivirent le marchand arabe dans sa maison. Zadig, en chemin,
consolait son domestique, et l'exhortait à la patience ;
mais, selon sa coutume, il faisait des réflexions sur
la vie humaine. « Je vois, lui disait-il, que les malheurs de ma destinée se répandent sur la tienne. Tout
m'a tourné jusqu'ici d'une façon bien étrange. J'ai
été condamné à l'amende pour avoir vu passer une

chienne ; j'ai pensé être empalé pour un griffon ; j'ai été envoyé au supplice parce que j'avais fait des vers à la louange du roi ; j'ai été sur le point d'être étranglé parce que la reine avait des rubans jaunes, et me voici esclave avec toi parce qu'un brutal a battu sa maîtresse. Allons, ne perdons point courage ; tout ceci finira peut-être ; il faut bien que les marchands arabes aient des esclaves ; et pourquoi ne le serais-je pas comme un autre, puisque je suis un homme comme un autre ? Ce marchand ne sera pas impitoyable ; il faut qu'il traite bien ses esclaves, s'il en veut tirer des services. » Il parlait ainsi, et dans le fond de son cœur il était occupé du sort de la reine de Babylone.

Sétoc, le marchand, partit deux jours après pour l'Arabie déserte avec ses esclaves et ses chameaux. Sa tribu habitait vers le désert d'Horeb. Le chemin fut long et pénible. Sétoc, dans la route, faisait bien plus de cas du valet que du maître, parce que le premier chargeait bien mieux les chameaux ; et toutes les petites distinctions furent pour lui.

Un chameau mourut à deux journées d'Horeb : on répartit sa charge sur le dos de chacun des serviteurs ; Zadig en eut sa part. Sétoc se mit à rire en voyant tous ses esclaves marcher courbés. Zadig prit la liberté de lui en expliquer la raison, et lui apprit les lois de l'équilibre. Le marchand, étonné, commença à le regarder d'un autre œil. Zadig, voyant qu'il avait excité sa curiosité, la redoubla en lui apprenant beaucoup de choses qui n'étaient point étrangères à son commerce ; les pesanteurs spécifiques des métaux et des denrées sous un volume égal ; les propriétés de plusieurs animaux utiles ; le moyen de rendre tels ceux qui ne l'étaient pas ; enfin il lui parut un sage. Sétoc lui donna la préférence sur son camarade, qu'il

avait tant estimé. Il le traita bien, et n'eut pas sujet
de s'en repentir.

Arrivé dans sa tribu, Sétoc commença par redemander cinq cents onces d'argent à un Hébreu auquel
il les avait prêtées en présence de deux témoins ;
mais ces deux témoins étaient morts, et l'Hébreu,
ne pouvant être convaincu, s'appropriait l'argent du
marchand, en remerciant Dieu de ce qu'il lui avait
donné le moyen de tromper un Arabe. Sétoc confia
sa peine à Zadig, qui était devenu son conseil. « En
quel endroit, demanda Zadig, prêtâtes-vous vos cinq
cents onces à cet infidèle ? – Sur une large pierre,
répondit le marchand, qui est auprès du mont Horeb.
– Quel est le caractère de votre débiteur ? dit Zadig.
– Celui d'un fripon, reprit Sétoc. – Mais je vous
demande si c'est un homme vif ou flegmatique, avisé
ou imprudent. – C'est de tous les mauvais payeurs,
dit Sétoc, le plus vif que je connaisse. – Eh bien !
insista Zadig, permettez que je plaide votre cause
devant le juge. » En effet il cita l'Hébreu au tribunal,
et il parla ainsi au juge : « Oreiller du trône d'équité,
je viens redemander à cet homme, au nom de mon
maître, cinq cents onces d'argent qu'il ne veut pas
rendre. – Avez-vous des témoins ? dit le juge. – Non,
ils sont morts ; mais il reste une large pierre sur
laquelle l'argent fut compté ; et s'il plaît à Votre
Grandeur d'ordonner qu'on aille chercher la pierre,
j'espère qu'elle portera témoignage ; nous reste-
rons ici, l'Hébreu et moi, en attendant que la pierre
vienne ; je l'enverrai chercher aux dépens de Sétoc,
mon maître. – Très volontiers », répondit le juge ; et
il se mit à expédier d'autres affaires.

À la fin de l'audience : « Eh bien ! dit-il à Zadig,
votre pierre n'est pas encore venue ? » L'Hébreu, en
riant, répondit : « Votre Grandeur resterait ici jusqu'à

demain que la pierre ne serait pas encore arrivée ;
elle est à plus de six milles d'ici, et il faudrait quinze
hommes pour la remuer. – Eh bien ! s'écria Zadig,
je vous avais bien dit que la pierre porterait témoignage ; puisque cet homme sait où elle est, il avoue
donc que c'est sur elle que l'argent fut compté. »
L'Hébreu, déconcerté, fut bientôt contraint de tout
avouer. Le juge ordonna qu'il serait lié à la pierre,
sans boire ni manger, jusqu'à ce qu'il eût rendu les
cinq cents onces, qui furent bientôt payées.

L'esclave Zadig et la pierre furent en grande
recommandation dans l'Arabie.

LE BÛCHER

Sétoc, enchanté, fit de son esclave son ami intime.
Il ne pouvait pas plus se passer de lui qu'avait fait
le roi de Babylone ; et Zadig fut heureux que Sétoc
n'eût point de femme. Il découvrait dans son maître
un naturel porté au bien, beaucoup de droiture et de
bon sens. Il fut fâché de voir qu'il adorait l'armée
céleste, c'est-à-dire le soleil, la lune, et les étoiles,
selon l'ancien usage d'Arabie. Il lui en parlait quelquefois avec beaucoup de discrétion. Enfin il lui dit
que c'étaient des corps comme les autres, qui ne
méritaient pas plus son hommage qu'un arbre ou un
rocher. « Mais, disait Sétoc, ce sont des êtres éternels
dont nous tirons tous nos avantages ; ils animent la
nature ; ils règlent les saisons ; ils sont d'ailleurs si
loin de nous qu'on ne peut pas s'empêcher de les
révérer. – Vous recevez plus d'avantages, répondit
Zadig, des eaux de la mer Rouge, qui porte vos
marchandises aux Indes. Pourquoi ne serait-elle pas
aussi ancienne que les étoiles ? Et si vous adorez ce
qui est éloigné de vous, vous devez adorer la terre

des Gangarides, qui est aux extrémités du monde.
– Non, disait Sétoc, les étoiles sont trop brillantes
pour que je ne les adore pas. » Le soir venu, Zadig
alluma un grand nombre de flambeaux dans la tente
où il devait souper avec Sétoc ; et dès que son patron
parut, il se jeta à genoux devant ces cires allumées,
et leur dit : « Éternelles et brillantes clartés, soyez-
moi toujours propices ! » Ayant proféré ces paroles,
il se mit à table sans regarder Sétoc. « Que faites-
vous donc ? lui dit Sétoc étonné. – Je fais comme
vous, répondit Zadig ; j'adore ces chandelles, et je
néglige leur maître et le mien. » Sétoc comprit le
sens profond de cet apologue. La sagesse de son
esclave entra dans son âme ; il ne prodigua plus son
encens aux créatures, et adora l'Être éternel qui les
a faites.

Il y avait alors dans l'Arabie une coutume affreuse,
venue originairement de Scythie, et qui, s'étant établie dans les Indes par le crédit des bracmanes,
menaçait d'envahir tout l'Orient. Lorsqu'un homme
marié était mort, et que sa femme bien-aimée voulait
être sainte, elle se brûlait en public sur le corps de
son mari. C'était une fête solennelle qui s'appelait *le
bûcher du veuvage*. La tribu dans laquelle il y avait
eu le plus de femmes brûlées était la plus considérée.
Un Arabe de la tribu de Sétoc étant mort, sa veuve,
nommée Almona, qui était fort dévote, fit savoir le
jour et l'heure où elle se jetterait dans le feu au son
des tambours et des trompettes. Zadig remontra à
Sétoc combien cette horrible coutume était contraire
au bien du genre humain ; qu'on laissait brûler tous
les jours de jeunes veuves qui pouvaient donner des
enfants à l'État, ou du moins élever les leurs ; et il
le fit convenir qu'il fallait, si on pouvait, abolir un
usage si barbare. Sétoc répondit : « Il y a plus de

mille ans que les femmes sont en possession de se
brûler. Qui de nous osera changer une loi que le
temps a consacrée ? Y a-t-il rien de plus respectable
qu'un ancien abus ? – La raison est plus ancienne,
reprit Zadig. Parlez aux chefs des tribus, et je vais
trouver la jeune veuve. »

Il se fit présenter à elle ; et après s'être insinué
dans son esprit par des louanges sur sa beauté, après
lui avoir dit combien c'était dommage de mettre au
feu tant de charmes, il la loua encore sur sa constance
et sur son courage. « Vous aimiez donc prodigieusement votre mari ? lui dit-il. – Moi ? point du tout,
répondit la dame arabe. C'était un brutal, un jaloux,
un homme insupportable ; mais je suis fermement
résolue de me jeter sur son bûcher. – Il faut, dit
Zadig, qu'il y ait apparemment un plaisir bien déli-
cieux à être brûlée vive. – Ah ! cela fait frémir la
nature, dit la dame ; mais il faut en passer par là. Je
suis dévote ; je serais perdue de réputation, et tout le
monde se moquerait de moi si je ne me brûlais pas. »
Zadig, l'ayant fait convenir qu'elle se brûlait pour
les autres et par vanité, lui parla longtemps d'une
manière à lui faire aimer un peu la vie, et parvint
même à lui inspirer quelque bienveillance pour celui
qui lui parlait. « Que feriez-vous enfin, lui dit-il, si la
vanité de vous brûler ne vous tenait pas ? – Hélas ! dit
la dame, je crois que je vous prierais de m'épouser. »

Zadig était trop rempli de l'idée d'Astarté pour ne
pas éluder cette déclaration ; mais il alla dans l'instant trouver les chefs des tribus, leur dit ce qui s'était
passé, et leur conseilla de faire une loi par laquelle
il ne serait permis à une veuve de se brûler qu'après
avoir entretenu un jeune homme tête à tête pendant
une heure entière. Depuis ce temps, aucune dame ne
se brûla en Arabie. On eut au seul Zadig l'obligation

d'avoir détruit en un jour une coutume si cruelle, qui durait depuis tant de siècles. Il était donc le bienfaiteur de l'Arabie.

LE SOUPER

Sétoc, qui ne pouvait se séparer de cet homme en qui habitait la sagesse, le mena à la grande foire de Balzora, où devaient se rendre les plus grands négociants de la terre habitable. Ce fut pour Zadig une consolation sensible de voir tant d'hommes de diverses contrées réunis dans la même place. Il lui paraissait que l'univers était une grande famille qui se rassemblait à Balzora. Il se trouva à table, dès le second jour, avec un Égyptien, un Indien gangaride, un habitant du Cathay, un Grec, un Celte, et plusieurs autres étrangers qui, dans leurs fréquents voyages vers le golfe Arabique, avaient appris assez d'arabe pour se faire entendre. L'Égyptien paraissait fort en colère. « Quel abominable pays que Balzora ! disait-il ; on m'y refuse mille onces d'or sur le meilleur effet du monde. – Comment donc, dit Sétoc ; sur quel effet vous a-t-on refusé cette somme ? – Sur le corps de ma tante, répondit l'Égyptien ; c'était la plus brave femme d'Égypte. Elle m'accompagnait toujours ; elle est morte en chemin : j'en ai fait une des plus belles momies que nous ayons ; et je trouverais dans mon pays tout ce que je voudrais en la mettant en gage. Il est bien étrange qu'on ne veuille pas seulement me donner ici mille onces d'or sur un effet si solide. » Tout en se courrouçant, il était près de manger d'une excellente poule bouillie, quand l'Indien, le prenant par la main, s'écria avec douleur : « Ah ! qu'allez-vous faire ? – Manger de cette poule, dit l'homme à la momie. – Gardez-vous-en bien, dit

le Gangaride, il se pourrait faire que l'âme de la
défunte fût passée dans le corps de cette poule, et
vous ne voudriez pas vous exposer à manger votre
tante. Faire cuire des poules, c'est outrager manifes-
tement la nature. – Que voulez-vous dire avec votre
nature et vos poules ? reprit le colérique Égyptien ;
nous adorons un bœuf, et nous en mangeons bien.
– Vous adorez un bœuf ! est-il possible ? dit l'homme
du Gange. – Il n'y a rien de si possible, repartit
l'autre ; il y a cent trente-cinq mille ans que nous en
usons ainsi, et personne parmi nous n'y trouve à
redire. – Ah ! cent trente-cinq mille ans ! dit l'Indien,
ce compte est un peu exagéré ; il n'y en a que
quatre-vingt mille que l'Inde est peuplée, et assurément nous sommes vos anciens, et Brama nous avait
défendu de manger des bœufs avant que vous vous
fussiez avisés de les mettre sur les autels et à la
broche. – Voilà un plaisant animal que votre Brama,
pour le comparer à Apis ! dit l'Égyptien ; qu'a donc
fait votre Brama de si beau ? » Le bramin répondit :
« C'est lui qui a appris aux hommes à lire et à écrire,
et à qui toute la terre doit le jeu des échecs. – Vous
vous trompez, dit un Chaldéen qui était auprès de
lui ; c'est le poisson Oannès à qui on doit de si grands
bienfaits, et il est juste de ne rendre qu'à lui ses
hommages. Tout le monde vous dira que c'était un
être divin, qu'il avait la queue dorée, avec une belle
tête d'homme, et qu'il sortait de l'eau pour venir
prêcher à terre trois heures par jour. Il eut plusieurs
enfants qui furent rois, comme chacun sait. J'ai son
portrait chez moi, que je révère comme je le dois.
On peut manger du bœuf tant qu'on veut ; mais c'est
assurément une très grande impiété de faire cuire du
poisson ; d'ailleurs vous êtes tous deux d'une origine
trop peu noble et trop récente pour me rien disputer.

La nation égyptienne ne compte que cent trente-cinq mille ans, et les Indiens ne se vantent que de quatre-vingt mille, tandis que nous avons des almanachs de quatre mille siècles. Croyez-moi, renoncez à vos folies, et je vous donnerai à chacun un beau portrait d'Oannès. »

L'homme de Cambalu, prenant la parole, dit : « Je respecte fort les Égyptiens, les Chaldéens, les Grecs, les Celtes, Brama, le bœuf Apis, le beau poisson Oannès ; mais peut-être que le Li ou le Tien*, comme on voudra l'appeler, vaut bien les bœufs et les poissons. Je ne dirai rien de mon pays ; il est aussi grand que la terre d'Égypte, la Chaldée et les Indes ensemble. Je ne dispute pas d'antiquité, parce qu'il suffit d'être heureux, et que c'est fort peu de chose d'être ancien ; mais, s'il fallait parler d'almanachs, je dirais que toute l'Asie prend les nôtres, et que nous en avions de fort bons avant qu'on sût l'arithmétique en Chaldée.

— Vous êtes de grands ignorants tous tant que vous êtes ! s'écria le Grec ; est-ce que vous ne savez pas que le chaos est le père de tout, et que la forme et la matière ont mis le monde dans l'état où il est ? » Ce Grec parla longtemps ; mais il fut enfin interrompu par le Celte, qui, ayant beaucoup bu pendant qu'on disputait, se crut alors plus savant que tous les autres, et dit en jurant qu'il n'y avait que Teutath [1] et le gui de chêne qui valussent la peine qu'on en parlât ; que, pour lui, il avait toujours du gui dans sa poche ; que les Scythes, ses ancêtres, étaient les seules gens de bien qui eussent jamais été au monde ;

* Mots chinois qui signifient proprement : *Li*, la lumière naturelle, la raison ; et *Tien*, le ciel ; et qui signifient aussi Dieu.
1. Divinité celte.

qu'ils avaient, à la vérité, quelquefois mangé des hommes, mais que cela n'empêchait pas qu'on ne dût avoir beaucoup de respect pour sa nation ; et qu'enfin, si quelqu'un parlait mal de Teutath, il lui apprendrait à vivre. La querelle s'échauffa pour lors, et Sétoc vit le moment où la table allait être ensanglantée. Zadig, qui avait gardé le silence pendant toute la dispute, se leva enfin : il s'adressa d'abord au Celte, comme au plus furieux ; il lui dit qu'il avait raison, et lui demanda du gui ; il loua le Grec sur son éloquence, et adoucit tous les esprits échauffés. Il ne dit que très peu de chose à l'homme du Cathay, parce qu'il avait été le plus raisonnable de tous. Ensuite il leur dit : « Mes amis, vous alliez vous quereller pour rien, car vous êtes tous du même avis. » À ce mot, ils se récrièrent tous. « N'est-il pas vrai, dit-il au Celte, que vous n'adorez pas ce gui, mais celui qui a fait le gui et le chêne ? – Assurément, répondit le Celte. – Et vous, monsieur l'Égyptien, vous révérez apparemment dans un certain bœuf celui qui vous a donné les bœufs ? – Oui, dit l'Égyptien. – Le poisson Oannès, continua-t-il, doit céder à celui qui a fait la mer et les poissons. – D'accord, dit le Chaldéen. – L'Indien, ajouta-t-il, et le Cathayen, reconnaissent comme vous un premier principe ; je n'ai pas trop bien compris les choses admirables que le Grec a dites, mais je suis sûr qu'il admet aussi un Être supérieur, de qui la forme et la matière dépendent. » Le Grec, qu'on admirait, dit que Zadig avait très bien pris sa pensée. « Vous êtes donc tous de même avis, répliqua Zadig, et il n'y a pas là de quoi se quereller. » Tout le monde l'embrassa. Sétoc, après avoir vendu fort cher ses denrées, reconduisit son ami Zadig dans sa tribu. Zadig apprit en arrivant qu'on lui avait fait son procès en son absence, et qu'il allait être brûlé à petit feu.

LES RENDEZ-VOUS

Pendant son voyage à Balzora, les prêtres des étoiles avaient résolu de le punir. Les pierreries et les ornements des jeunes veuves qu'ils envoyaient au bûcher leur appartenaient de droit ; c'était bien le moins qu'ils fissent brûler Zadig pour le mauvais tour qu'il leur avait joué. Ils accusèrent donc Zadig d'avoir des sentiments erronés sur l'armée céleste ; ils déposèrent contre lui, et jurèrent qu'ils lui avaient entendu dire que les étoiles ne se couchaient pas dans la mer. Ce blasphème effroyable fit frémir les juges ; ils furent prêts de déchirer leurs vêtements, quand ils ouïrent ces paroles impies, et ils l'auraient fait, sans doute, si Zadig avait eu de quoi les payer. Mais, dans l'excès de leur douleur, ils se contentèrent de le condamner à être brûlé à petit feu. Sétoc, désespéré, employa en vain son crédit pour sauver son ami ; il fut bientôt obligé de se taire. La jeune veuve Almona, qui avait pris beaucoup de goût à la vie, et qui en avait obligation à Zadig, résolut de le tirer du bûcher, dont il lui avait fait connaître l'abus. Elle roula son dessein dans sa tête, sans en parler à personne. Zadig devait être exécuté le lendemain ; elle n'avait que la nuit pour le sauver : voici comme elle s'y prit en femme charitable et prudente.

Elle se parfuma, elle releva sa beauté par l'ajustement le plus riche et le plus galant, et alla demander une audience secrète au chef des prêtres des étoiles. Quand elle fut devant ce vieillard vénérable, elle lui parla en ces termes : « Fils aîné de la grande Ourse, frère du Taureau, cousin du grand Chien (c'étaient les titres de ce pontife), je viens vous confier mes scrupules. J'ai bien peur d'avoir commis un péché énorme en ne me brûlant pas dans le bûcher de mon cher mari. En effet, qu'avais-je à conserver ? une chair périssable, et qui est déjà toute flétrie. » En disant ces paroles, elle tira de ses longues manches de soie ses bras nus, d'une forme admirable et d'une blancheur éblouissante. « Vous voyez, dit-elle, le peu que cela vaut. » Le pontife trouva dans son cœur que cela valait beaucoup. Ses yeux le dirent, et sa bouche le confirma : il jura qu'il n'avait vu de sa vie de si beaux bras. « Hélas ! lui dit la veuve, les bras peuvent être un peu moins mal que le reste ; mais vous m'avouerez que la gorge n'était pas digne de mes attentions. » Alors elle laissa voir le sein le plus charmant que la nature eût jamais formé. Un bouton de rose sur une pomme d'ivoire n'eût paru auprès que de la garance sur du buis, et les agneaux sortant du lavoir auraient semblé d'un jaune brun. Cette gorge, ses grands yeux noirs qui languissaient en brillant doucement d'un feu tendre, ses joues animées de la plus belle pourpre mêlée au blanc de lait le plus pur ; son nez, qui n'était pas comme la tour du mont Liban ; ses lèvres, qui étaient comme deux bordures de corail renfermant les plus belles perles de la mer d'Arabie, tout cela ensemble fit croire au vieillard qu'il avait vingt ans. Il fit en bégayant une déclaration tendre. Almona, le voyant enflammé, lui demanda la grâce de Zadig. « Hélas ! dit-il, ma belle dame, quand je vous accorderais sa grâce, mon indulgence ne servirait de rien ; il faut qu'elle soit signée de trois autres de mes confrères. — Signez toujours, dit Almona. — Volontiers, dit le prêtre, à condition que vos faveurs seront le prix de ma facilité. — Vous me faites trop d'honneur, dit Almona ; ayez seulement pour agréable de venir dans ma chambre après que le soleil sera couché, et dès que la brillante étoile *Sheat* sera sur l'horizon, vous me trouverez sur un sofa couleur de rose, et vous en userez comme vous pourrez avec votre servante. » Elle sortit alors, emportant avec elle la signature, et laissa le vieillard plein d'amour et de défiance de ses forces. Il employa le reste du jour à se baigner ; il but une liqueur composée de la cannelle de Ceylan, et des précieuses épices de Tidor et de Ternate, et attendit avec impatience que l'étoile *Sheat* vînt à paraître.

Cependant la belle Almona alla trouver le second pontife. Celui-ci l'assura que le soleil, la lune, et tous les feux du firmament, n'étaient que des feux follets en comparaison de ses charmes. Elle lui demanda la même grâce, et on lui proposa d'en donner le prix. Elle se laissa vaincre, et donna rendez-vous au second pontife au lever de l'étoile *Algénib*. De là elle passa chez le troisième et chez le quatrième prêtre, prenant toujours une signature, et donnant un rendez-vous d'étoile en étoile. Alors elle fit avertir les juges de venir chez elle pour une affaire importante. Ils s'y rendirent : elle leur montra les quatre noms, et leur dit à quel prix les prêtres avaient vendu la grâce de Zadig. Chacun d'eux arriva à l'heure prescrite ; chacun fut bien étonné d'y trouver ses confrères, et plus encore d'y trouver les juges, devant qui leur honte fut manifestée. Zadig fut sauvé. Sétoc fut si charmé de l'habileté d'Almona, qu'il en fit sa femme.

Zadig partit après s'être jeté aux pieds de sa belle libératrice. Sétoc et lui se quittèrent en pleurant, en se jurant une amitié éternelle, et en se promettant que le premier des deux qui ferait une grande fortune en ferait part à l'autre.

Zadig marcha du côté de la Syrie, toujours pensant à la malheureuse Astarté, et toujours réfléchissant sur le sort qui s'obstinait à se jouer de lui et à le persécuter. « Quoi ! disait-il, quatre cents onces d'or pour avoir vu passer une chienne ! condamné à être décapité pour quatre mauvais vers à la louange du roi ! prêt à être étranglé parce que la reine avait des babouches de la couleur de mon bonnet ! réduit en esclavage pour avoir secouru une femme qu'on battait ; et sur le point d'être brûlé pour avoir sauvé la vie à toutes les jeunes veuves arabes ! »

LE BRIGAND

En arrivant aux frontières qui séparent l'Arabie Pétrée de la Syrie, comme il passait près d'un château assez fort, des Arabes armés en sortirent. Il se vit entouré ; on lui criait : « Tout ce que vous avez nous appartient, et votre personne appartient à notre maître. » Zadig, pour réponse, tira son épée ; son valet, qui avait du courage, en fit autant. Ils renversèrent morts les premiers Arabes qui mirent la main sur eux ; le nombre redoubla : ils ne s'étonnèrent point, et résolurent de périr en combattant. On voyait deux hommes se défendre contre une multitude ; un tel combat ne pouvait durer longtemps. Le maître du château, nommé Arbogad, ayant vu d'une fenêtre les prodiges de valeur que faisait Zadig, conçut de l'estime pour lui. Il descendit en hâte, et vint lui-même écarter ses gens, et délivrer les deux voyageurs. « Tout ce qui passe sur mes terres est à moi, dit-il, aussi bien que ce que je trouve sur les terres des autres ; mais vous me paraissez un si brave homme que je vous exempte de la loi commune. » Il le fit entrer dans son château, ordonnant à ses gens de le bien traiter, et le soir, Arbogad voulut souper avec Zadig.

Le seigneur du château était un de ces Arabes qu'on appelle *voleurs* ; mais il faisait quelquefois de bonnes actions parmi une foule de mauvaises ; il volait avec une rapacité furieuse, et donnait libéralement : intrépide dans l'action, assez doux dans le commerce, débauché à table, gai dans la débauche, et surtout plein de franchise. Zadig lui plut beaucoup ; sa conversation, qui s'anima, fit durer le repas ; enfin Arbogad lui dit : « Je vous conseille de vous enrôler sous moi, vous ne sauriez mieux faire ; ce métier-ci n'est pas mauvais ; vous pourrez un jour devenir ce que je suis. – Puis-je vous demander, dit Zadig, depuis quel temps vous exercez cette noble profession ? – Dès ma plus tendre jeunesse, reprit le seigneur. J'étais valet d'un Arabe assez habile ; ma situation m'était insupportable. J'étais au désespoir de voir que, dans toute la terre qui appartient également aux hommes, la destinée ne m'eût pas réservé ma portion. Je confiai mes peines à un vieil Arabe, qui me dit : "Mon fils, ne désespérez pas ; il y avait autrefois un grain de sable qui se lamentait d'être un atome ignoré dans les déserts ; au bout de quelques années il devint diamant, et il est à présent le plus bel ornement de la couronne du roi des Indes." Ce discours me fit impression ; j'étais le grain de sable, je résolus de devenir diamant. Je commençai par voler deux chevaux ; je m'associai des camarades ; je me mis en état de voler de petites caravanes : ainsi je fis cesser peu à peu la disproportion qui était d'abord entre les hommes et moi. J'eus ma part aux biens de ce monde, et je fus même dédommagé avec usure : on me considéra beaucoup : je devins seigneur brigand ; j'acquis ce château par voie de fait.

Le satrape de Syrie voulut m'en déposséder ; mais j'étais déjà trop riche pour avoir rien à craindre ; je donnai de l'argent au satrape, moyennant quoi je conservai ce château, et j'agrandis mes domaines ; il me nomma même trésorier des tributs que l'Arabie Pétrée payait au roi des rois. Je fis ma charge de receveur, et point du tout celle de payeur.

« Le grand desterham de Babylone envoya ici, au nom du roi Moabdar, un petit satrape pour me faire étrangler. Cet homme arriva avec son ordre : j'étais instruit de tout ; je fis étrangler en sa présence les quatre personnes qu'il avait amenées avec lui pour serrer le lacet ; après quoi je lui demandai ce que pouvait lui valoir la commission de m'étrangler. Il me répondit que ses honoraires pouvaient aller à trois cents pièces d'or. Je lui fis voir clair qu'il y aurait plus à gagner avec moi. Je le fis sous-brigand ; il est aujourd'hui un de mes meilleurs officiers, et des plus riches. Si vous m'en croyez, vous réussirez comme lui. Jamais la saison de voler n'a été meilleure, depuis que Moabdar est tué, et que tout est en confusion dans Babylone.

— Moabdar est tué ! dit Zadig ; et qu'est devenue la reine Astarté ? – Je n'en sais rien, reprit Arbogad ; tout ce que je sais, c'est que Moabdar est devenu fou, qu'il a été tué, que Babylone est un grand coupe-gorge, que tout l'empire est désolé, qu'il y a de beaux coups à faire encore, et que pour ma part, j'en ai fait d'admirables. – Mais la reine ? dit Zadig ; de grâce, ne savez-vous rien de la destinée de la reine ? – On m'a parlé d'un prince d'Hyrcanie, reprit-il ; elle est probablement parmi ses concubines, si elle n'a pas été tuée dans le tumulte ; mais je suis plus curieux de butin que de nouvelles. J'ai pris plusieurs femmes dans mes courses, je n'en garde aucune ; je les vends cher quand elles sont belles, sans m'informer de ce qu'elles sont. On n'achète point le rang ; une reine qui serait laide ne trouverait pas marchand : peut-être ai-je vendu la reine Astarté, peut-être est-elle morte ; mais peu m'importe, et je pense que vous ne devez pas vous en soucier plus que moi. » En parlant ainsi il buvait avec tant de courage, il confondait tellement toutes les idées, que Zadig n'en put tirer aucun éclaircissement.

Il restait interdit, accablé, immobile. Arbogad buvait toujours, faisait des contes, répétait sans cesse qu'il était le plus heureux de tous les hommes, exhortant Zadig à se rendre aussi heureux que lui. Enfin, doucement assoupi par les fumées du vin, il alla dormir d'un sommeil tranquille. Zadig passa la nuit dans l'agitation la plus violente. « Quoi, disait-il, le roi est devenu fou ! il est tué ! Je ne puis m'empêcher de le plaindre. L'empire est déchiré, et ce brigand est heureux : ô fortune ! ô destinée ! un voleur est heureux, et ce que la nature a fait de plus aimable a péri peut-être d'une manière affreuse, ou vit dans un état pire que la mort. Ô Astarté ! qu'êtes-vous devenue ? »

Dès le point du jour il interrogea tous ceux qu'il rencontrait dans le château ; mais tout le monde était occupé, personne ne lui répondit : on avait fait pendant la nuit de nouvelles conquêtes, on partageait les dépouilles. Tout ce qu'il put obtenir dans cette confusion tumultueuse, ce fut la permission de partir. Il en profita sans tarder, plus abîmé que jamais dans ses réflexions douloureuses.

Zadig marchait inquiet, agité, l'esprit tout occupé de la malheureuse Astarté, du roi de Babylone, de son fidèle Cador, de l'heureux brigand Arbogad, de cette femme si capricieuse que des Babyloniens avaient enlevée sur les confins de l'Égypte, enfin de tous les contretemps et de toutes les infortunes qu'il avait éprouvés.

LE PÊCHEUR

À quelques lieues du château d'Arbogad, il se trouva sur le bord d'une petite rivière, toujours déplorant sa destinée, et se regardant comme le modèle du malheur. Il vit un pêcheur couché sur la rive, tenant à peine d'une main languissante son filet, qu'il semblait abandonner, et levant les yeux vers le ciel.

« Je suis certainement le plus malheureux de tous les hommes, disait le pêcheur. J'ai été, de l'aveu de tout le monde, le plus célèbre marchand de fromages à la crème dans Babylone, et j'ai été ruiné. J'avais la plus jolie femme qu'homme de ma sorte pût posséder, et j'en ai été trahi. Il me restait une chétive maison, je l'ai vue pillée et détruite. Réfugié dans une cabane, je n'ai de ressource que ma pêche, et je ne prends pas un poisson. Ô mon filet ! je ne te jetterai plus dans l'eau, c'est à moi de m'y jeter. » En disant ces mots il se lève, et s'avance dans l'attitude d'un homme qui allait se précipiter et finir sa vie.

« Eh quoi ! se dit Zadig à lui-même, il y a donc des hommes aussi malheureux que moi ! » L'ardeur de sauver la vie au pêcheur fut aussi prompte que cette réflexion. Il court à lui, il l'arrête, il l'interroge d'un air attendri et consolant. On prétend qu'on en est moins malheureux quand on ne l'est pas seul ; mais, selon Zoroastre, ce n'est pas par malignité, c'est par besoin. On se sent alors entraîné vers un infortuné comme vers son semblable. La joie d'un homme heureux serait une insulte ; mais deux malheureux sont comme deux arbrisseaux faibles qui, s'appuyant l'un sur l'autre, se fortifient contre l'orage.

« Pourquoi succombez-vous à vos malheurs ? dit Zadig au pêcheur. – C'est, répondit-il, parce que je n'y vois pas de ressource. J'ai été le plus considéré du village de Derlback auprès de Babylone, et je faisais, avec l'aide de ma femme, les meilleurs fromages à la crème de l'empire. La reine Astarté et le fameux ministre Zadig les aimaient passionnément. J'avais fourni à leurs maisons six cents fromages. J'allai un jour à la ville pour être payé ; j'appris en arrivant dans Babylone que la reine et Zadig avaient disparu. Je courus chez le seigneur Zadig, que je n'avais jamais vu ; je trouvai les archers du grand desterham, qui, munis d'un papier royal, pillaient sa maison loyalement et avec ordre. Je volai aux cuisines de la reine ; quelques-uns des seigneurs de la bouche me dirent qu'elle était morte ; d'autres dirent qu'elle était en prison ; d'autres prétendirent qu'elle avait pris la fuite ; mais tous m'assurèrent qu'on ne me payerait point mes fromages. J'allai avec ma femme chez le seigneur Orcan, qui était une de mes pratiques : nous lui demandâmes sa protection dans notre disgrâce. Il l'accorda à ma femme, et me la refusa. Elle était plus blanche que ces fromages à la crème qui commencèrent mon malheur ; et l'éclat de la pourpre de Tyr n'était pas plus brillant que l'incarnat qui animait cette blancheur. C'est ce qui fit qu'Orcan la retint, et me chassa de sa maison. J'écrivis à ma chère femme la lettre d'un désespéré. Elle dit au porteur : "Ah, ah ! oui ! je sais quel est l'homme qui m'écrit, j'en ai entendu parler : on dit qu'il fait des fromages à la crème excellents ; qu'on m'en apporte, et qu'on les lui paye."

« Dans mon malheur, je voulus m'adresser à la

justice. Il me restait six onces d'or : il fallut en donner deux onces à l'homme de loi que je consultai, deux au procureur qui entreprit mon affaire, deux au secrétaire du premier juge. Quand tout cela fut fait, mon procès n'était pas encore commencé, et j'avais déjà dépensé plus d'argent que mes fromages et ma femme ne valaient. Je retournai à mon village dans l'intention de vendre ma maison pour avoir ma femme.

« Ma maison valait bien soixante onces d'or ; mais on me voyait pauvre et pressé de vendre. Le premier à qui je m'adressai m'en offrit trente onces ; le second, vingt ; et le troisième, dix. J'étais prêt enfin de conclure, tant j'étais aveuglé, lorsqu'un prince d'Hyrcanie vint à Babylone, et ravagea tout sur son passage. Ma maison fut d'abord saccagée, et ensuite brûlée.

« Ayant ainsi perdu mon argent, ma femme et ma maison, je me suis retiré dans ce pays où vous me voyez ; j'ai tâché de subsister du métier de pêcheur. Les poissons se moquent de moi comme les hommes : je ne prends rien, je meurs de faim ; et sans vous, auguste consolateur, j'allais mourir dans la rivière. »

Le pêcheur ne fit point ce récit tout de suite ; car à tout moment Zadig, ému et transporté, lui disait : « Quoi ! vous ne savez rien de la destinée de la reine ? – Non, seigneur, répondait le pêcheur ; mais je sais que la reine et Zadig ne m'ont point payé mes fromages à la crème, qu'on a pris ma femme, et que je suis au désespoir. – Je me flatte, dit Zadig, que vous ne perdrez pas tout votre argent. J'ai entendu parler de ce Zadig ; il est honnête homme ; et s'il retourne à Babylone, comme il l'espère, il vous donnera plus qu'il ne vous doit ; mais pour votre femme, qui n'est pas si honnête, je vous conseille de ne pas chercher à la reprendre. Croyez-moi, allez à Babylone ; j'y serai avant vous, parce que je suis à cheval et que vous êtes à pied. Adressez-vous à l'illustre Cador ; dites-lui que vous avez rencontré son ami ; attendez-moi chez lui. Allez ; peut-être ne serez-vous pas toujours malheureux.

« Ô puissant Orosmade ! continua-t-il, vous vous servez de moi pour consoler cet homme ; de qui vous servirez-vous pour me consoler ? » En parlant ainsi il donnait au pêcheur la moitié de tout l'argent qu'il avait apporté d'Arabie, et le pêcheur, confondu et ravi, baisait les pieds de l'ami de Cador, et disait : « Vous êtes un ange sauveur. »

Cependant Zadig demandait toujours des nouvelles, et versait des larmes. « Quoi ! seigneur ; s'écria le pêcheur, vous seriez donc aussi malheureux, vous qui faites du bien ? – Plus malheureux que toi cent fois, répondait Zadig. – Mais comment se peut-il faire, disait le bonhomme, que celui qui donne soit plus à plaindre que celui qui reçoit ? – C'est que ton plus grand malheur, reprit Zadig, était le besoin, et que je suis infortuné par le cœur. – Orcan vous aurait-il pris votre femme ? » dit le pêcheur. Ce mot rappela dans l'esprit de Zadig toutes ses aventures ; il répétait la liste de ses infortunes, à commencer depuis la chienne de la reine jusqu'à son arrivée chez le brigand Arbogad. « Ah ! dit-il au pêcheur, Orcan mérite d'être puni. Mais d'ordinaire ce sont ces gens-là qui sont les favoris de la destinée. Quoi qu'il en soit, va chez le seigneur Cador, et attends-moi. » Ils se séparèrent : le pêcheur marcha en remerciant son destin, et Zadig courut en accusant toujours le sien.

LE BASILIC[1]

Arrivé dans une belle prairie, il y vit plusieurs femmes qui cherchaient quelque chose avec beaucoup d'application. Il prit la liberté de s'approcher de l'une d'elles, et de lui demander s'il pouvait avoir l'honneur de les aider dans leurs recherches. « Gardez-vous-en bien, répondit la Syrienne ; ce que nous cherchons ne peut être touché que par des femmes. – Voilà qui est bien étrange, dit Zadig ; oserai-je vous prier de m'apprendre ce que c'est qu'il n'est permis qu'aux femmes de toucher ? – C'est un basilic, dit-elle. – Un basilic, madame ! et pour quelle raison, s'il vous plaît, cherchez-vous un basilic ? – C'est pour notre seigneur et maître Ogul, dont vous voyez le château sur le bord de cette rivière, au bout de la prairie. Nous sommes ses très humbles esclaves ; le seigneur Ogul est malade ; son médecin lui a ordonné de manger un basilic cuit dans l'eau rose ; et comme c'est un animal fort rare, et qui ne se laisse jamais prendre que par des femmes, le seigneur Ogul a promis de choisir pour sa femme bien-aimée celle de nous qui lui apporterait un basilic : laissez-moi chercher, s'il vous plaît, car vous voyez ce qu'il m'en coûterait si j'étais prévenue par mes compagnes. »

Zadig laissa cette Syrienne et les autres chercher leur basilic, et continua de marcher dans la prairie. Quand il fut au bord d'un petit ruisseau, il y trouva une autre dame couchée sur le gazon, et qui ne cherchait rien. Sa taille paraissait majestueuse, mais son visage était couvert d'un voile. Elle était penchée vers le ruisseau ; de profonds soupirs sortaient de sa

1. Reptile auquel les Anciens attribuaient le pouvoir de tuer par son seul regard.

bouche. Elle tenait en main une petite baguette, avec laquelle elle traçait des caractères sur un sable fin qui se trouvait entre le gazon et le ruisseau. Zadig eut la curiosité de voir ce que cette femme écrivait ; il s'approcha, il vit la lettre Z, puis un A : il fut étonné ; puis parut un D : il tressaillit. Jamais surprise ne fut égale à la sienne quand il vit les deux dernières lettres de son nom. Il demeura quelque temps immobile ; enfin, rompant le silence d'une voix entrecoupée : « Ô généreuse dame ! pardonnez à un étranger, à un infortuné, d'oser vous demander par quelle aventure étonnante je trouve ici le nom de ZADIG tracé de votre main divine ? » À cette voix, à ces paroles, la dame releva son voile d'une main tremblante, regarda Zadig, jeta un cri d'attendrissement, de surprise et de joie, et succombant sous tous les mouvements divers qui assaillaient à la fois son âme, elle tomba évanouie entre ses bras. C'était Astarté elle-même, c'était la reine de Babylone, c'était celle que Zadig adorait, et qu'il se reprochait d'adorer, c'était celle dont il avait tant pleuré et tant craint la destinée. Il fut un moment privé de l'usage de ses sens ; et quand il eut attaché ses regards sur les yeux d'Astarté, qui se rouvraient avec une langueur mêlée de confusion et de tendresse : « Ô puissances immortelles ! s'écria-t-il, qui présidez aux destins des faibles humains, me rendez-vous Astarté ? En quel temps, en quels lieux, en quel état la revois-je ? » Il se jeta à genoux devant Astarté, et il attacha son front à la poussière de ses pieds. La reine de Babylone le relève, et le fait asseoir auprès d'elle sur le bord de ce ruisseau ; elle essuyait à plusieurs reprises ses yeux, dont les larmes recommençaient toujours à couler. Elle reprenait vingt fois des discours que ses gémissements interrompaient ; elle l'interrogeait sur le hasard qui les rassemblait, et prévenait soudain ses réponses par d'autres questions. Elle entamait le récit de ses malheurs, et voulait savoir ceux de Zadig. Enfin tous deux ayant un peu apaisé le tumulte de leurs âmes, Zadig lui conta en peu de mots par quelle aventure il se trouvait dans cette prairie. « Mais, ô malheureuse et respectable reine ! comment vous retrouvé-je en ce lieu écarté, vêtue en esclave, et accompagnée d'autres femmes esclaves qui cherchent un basilic pour le faire cuire dans de l'eau rose par ordonnance du médecin ?

— Pendant qu'elles cherchent leur basilic, dit la belle Astarté, je vais vous apprendre tout ce que j'ai souffert, et tout ce que je pardonne au ciel depuis que je vous revois. Vous savez que le roi mon mari trouva mauvais que vous fussiez le plus aimable de tous les hommes ; et ce fut pour cette raison qu'il prit une nuit la résolution de vous faire étrangler et de m'empoisonner. Vous savez comme le ciel permit que mon petit muet m'avertît de l'ordre de Sa Sublime Majesté. À peine le fidèle Cador vous eut-il forcé de m'obéir et de partir, qu'il osa entrer chez moi au milieu de la nuit par une issue secrète. Il m'enleva, et me conduisit dans le temple d'Orosmade, où le mage, son frère, m'enferma dans une statue colossale dont la base touche aux fondements du temple, et dont la tête atteint la voûte. Je fus là comme ensevelie, mais servie par le mage, et ne manquant d'aucune chose nécessaire. Cependant, au point du jour, l'apothicaire de Sa Majesté entra dans ma chambre avec une potion mêlée de jusquiame, d'opium, de ciguë, d'ellébore noir et d'aconit ; et un autre officier alla chez vous avec un lacet de soie bleue. On ne trouva personne. Cador, pour mieux tromper le roi, feignit de venir nous accuser tous

deux. Il dit que vous aviez pris la route des Indes, et
moi celle de Memphis : on envoya des satellites après
vous et après moi.

« Les courriers qui me cherchaient ne me connais-
saient pas. Je n'avais presque jamais montré mon
visage qu'à vous seul, en présence et par ordre de
mon époux. Ils coururent à ma poursuite, sur le portrait qu'on leur faisait de ma personne : une femme
de la même taille que moi, et qui peut-être avait plus
de charmes, s'offrit à leurs regards sur les frontières
de l'Égypte. Elle était éplorée, errante. Ils ne doutèrent pas que cette femme ne fût la reine de Babylone ;
ils la menèrent à Moabdar. Leur méprise fit entrer
d'abord le roi dans une violente colère ; mais bientôt,
ayant considéré de plus près cette femme, il la trouva
très belle, et fut consolé. On l'appelait Missouf. On
m'a dit depuis que ce nom signifie en langue égyptienne *la belle capricieuse*. Elle l'était en effet ; mais
elle avait autant d'art que de caprice. Elle plut à
Moabdar. Elle le subjugua au point de se faire déclarer sa femme. Alors son caractère se développa tout
entier : elle se livra sans crainte à toutes les folies
de son imagination. Elle voulut obliger le chef des
mages, qui était vieux et goutteux, de danser devant
elle ; et sur le refus du mage, elle le persécuta vio-
lemment. Elle ordonna à son grand-écuyer de lui
faire une tourte de confitures. Le grand-écuyer eut
beau lui représenter qu'il n'était point pâtissier, il
fallut qu'il fît la tourte ; et on le chassa, parce qu'elle
était trop brûlée. Elle donna la charge de grand-
écuyer à son nain, et la place de chancelier à un
page. C'est ainsi qu'elle gouverna Babylone. Tout le
monde me regrettait. Le roi, qui avait été assez
honnête homme jusqu'au moment où il avait voulu
m'empoisonner et vous faire étrangler, semblait

avoir noyé ses vertus dans l'amour prodigieux qu'il avait pour la belle capricieuse. Il vint au temple le grand jour du feu sacré. Je le vis implorer les dieux pour Missouf au pied de la statue où j'étais renfermée. J'élevai la voix ; je lui criai : "Les dieux refusent les vœux d'un roi devenu tyran, qui a voulu faire mourir une femme raisonnable pour épouser une extravagante." Moabdar fut confondu de ces paroles au point que sa tête se troubla. L'oracle que j'avais rendu, et la tyrannie de Missouf, suffisaient pour lui faire perdre le jugement. Il devint fou en peu de jours.

« Sa folie, qui parut un châtiment du ciel, fut le signal de la révolte. On se souleva, on courut aux armes. Babylone, si longtemps plongée dans une mollesse oisive, devint le théâtre d'une guerre civile affreuse. On me tira du creux de ma statue, et on me mit à la tête d'un parti. Cador courut à Memphis, pour vous ramener à Babylone. Le prince d'Hyrcanie, apprenant ces funestes nouvelles, revint avec son armée faire un troisième parti dans la Chaldée. Il attaqua le roi, qui courut au-devant de lui avec son extravagante Égyptienne. Moabdar mourut percé de coups. Missouf tomba aux mains du vainqueur. Mon malheur voulut que je fusse prise moi-même par un parti hyrcanien, et qu'on me menât devant le prince précisément dans le temps qu'on lui amenait Missouf. Vous serez flatté, sans doute, en apprenant que le prince me trouva plus belle que l'Égyptienne ; mais vous serez fâché d'apprendre qu'il me destina à son sérail. Il me dit fort résolument que, dès qu'il aurait fini une expédition militaire qu'il allait exécuter, il viendrait à moi. Jugez de ma douleur. Mes liens avec Moabdar étaient rompus, je pouvais être à Zadig ; et je tombais dans les chaînes de ce barbare. Je lui répondis avec toute la fierté que me donnaient

mon rang et mes sentiments. J'avais toujours entendu
dire que le ciel attachait aux personnes de ma sorte
un caractère de grandeur qui, d'un mot et d'un coup
d'œil, faisait rentrer dans l'abaissement du plus profond respect les téméraires qui osaient s'en écarter. Je
parlai en reine, mais je fus traitée en demoiselle sui-
vante. L'Hyrcanien, sans daigner seulement m'adresser la parole, dit à son eunuque noir que j'étais
une impertinente, mais qu'il me trouvait jolie. Il lui
ordonna d'avoir soin de moi et de me mettre au
régime des favorites, afin de me rafraîchir le teint,
et de me rendre plus digne de ses faveurs pour le
jour où il aurait la commodité de m'en honorer. Je
lui dis que je me tuerais : il répliqua, en riant, qu'on
ne se tuait point, qu'il était fait à ces façons-là, et
me quitta comme un homme qui vient de mettre un
perroquet dans sa ménagerie. Quel état pour la première reine de l'univers, et, je dirai plus, pour un
cœur qui était à Zadig ! »

À ces paroles il se jeta à ses genoux et les baigna
de larmes. Astarté le releva tendrement, et elle continua ainsi : « Je me voyais au pouvoir d'un barbare,
et rivale d'une folle avec qui j'étais renfermée. Elle
me raconta son aventure d'Égypte. Je jugeai par les
traits dont elle vous peignait, par le temps, par le
dromadaire sur lequel vous étiez monté, par toutes
les circonstances, que c'était Zadig qui avait combattu pour elle. Je ne doutai pas que vous ne fussiez à
Memphis ; je pris la résolution de m'y retirer. "Belle
Missouf, lui dis-je, vous êtes beaucoup plus plaisante
que moi, vous divertirez bien mieux que moi le
prince d'Hyrcanie. Facilitez-moi les moyens de me
sauver ; vous régnerez seule ; vous me rendrez heu-
reuse, en vous débarrassant d'une rivale." Missouf

concerta avec moi les moyens de ma fuite. Je partis donc secrètement avec une esclave égyptienne.

« J'étais déjà près de l'Arabie, lorsqu'un fameux voleur, nommé Arbogad, m'enleva, et me vendit à des marchands qui m'ont amenée dans ce château, où demeure le seigneur Ogul. Il m'a achetée sans savoir qui j'étais. C'est un homme voluptueux qui ne cherche qu'à faire grande chère et qui croit que Dieu l'a mis au monde pour tenir table. Il est d'un embonpoint excessif, qui est toujours prêt à le suffoquer. Son médecin, qui n'a que peu de crédit auprès de lui quand il digère bien, le gouverne despotiquement quand il a trop mangé. Il lui a persuadé qu'il le guérirait avec un basilic cuit dans de l'eau rose. Le seigneur Ogul a promis sa main à celle de ses esclaves qui lui apporterait un basilic. Vous voyez que je les laisse s'empresser à mériter cet honneur, et je n'ai jamais eu moins d'envie de trouver ce basilic que depuis que le ciel a permis que je vous revisse. »

Alors Astarté et Zadig se dirent tout ce que des sentiments longtemps retenus, tout ce que leurs malheurs et leurs amours pouvaient inspirer aux cœurs les plus nobles et les plus passionnés ; et les génies qui président à l'amour portèrent leurs paroles jusqu'à la sphère de Vénus.

Les femmes rentrèrent chez Ogul sans avoir rien trouvé. Zadig se fit présenter à lui, et lui parla en ces termes : « Que la santé immortelle descende du ciel pour avoir soin de tous vos jours ! Je suis médecin, j'ai accouru vers vous sur le bruit de votre maladie, et je vous ai apporté un basilic cuit dans de l'eau rose. Ce n'est pas que je prétende vous épouser : je ne vous demande que la liberté d'une jeune esclave de Babylone que vous avez depuis quelques jours ;

et je consens de rester en esclavage à sa place si je n'ai pas le bonheur de guérir le magnifique seigneur Ogul. »

La proposition fut acceptée. Astarté partit pour Babylone avec le domestique de Zadig, en lui promettant de lui envoyer incessamment un courrier pour l'instruire de tout ce qui se serait passé. Leurs adieux furent aussi tendres que l'avait été leur reconnaissance. Le moment où l'on se retrouve, et celui où l'on se sépare, sont les deux plus grandes époques de la vie, comme dit le grand livre du Zend. Zadig aimait la reine autant qu'il le jurait, et la reine aimait Zadig plus qu'elle ne lui disait.

Cependant Zadig parla ainsi à Ogul : « Seigneur, on ne mange point mon basilic, toute sa vertu doit entrer chez vous par les pores. Je l'ai mis dans un petit outre bien enflé et couvert d'une peau fine : il faut que vous poussiez cet outre de toute votre force, et que je vous le renvoie à plusieurs reprises ; et en peu de jours de régime vous verrez ce que peut mon art. » Ogul, dès le premier jour, fut tout essoufflé, et crut qu'il mourrait de fatigue. Le second, il fut moins fatigué, et dormit mieux. En huit jours il recouvra toute la force, la santé, la légèreté et la gaieté de ses plus brillantes années. « Vous avez joué au ballon, et vous avez été sobre, lui dit Zadig : apprenez qu'il n'y a point de basilic dans la nature, qu'on se porte toujours bien avec de la sobriété et de l'exercice, et que l'art de faire subsister ensemble l'intempérance et la santé est un art aussi chimérique que la pierre philosophale, l'astrologie judiciaire et la théologie des mages. »

Le premier médecin d'Ogul, sentant combien cet homme était dangereux pour la médecine, s'unit avec l'apothicaire du corps pour envoyer Zadig chercher des basilics dans l'autre monde. Ainsi, après avoir été toujours puni pour avoir bien fait, il était près de périr pour avoir guéri un seigneur gourmand. On l'invita à un excellent dîner. Il devait être empoisonné au second service ; mais il reçut un courrier de la belle Astarté au premier. Il quitta la table, et partit. Quand on est aimé d'une belle femme, dit le grand Zoroastre, on se tire toujours d'affaire dans ce monde.

LES COMBATS

La reine avait été reçue à Babylone avec les transports qu'on a toujours pour une belle princesse qui a été malheureuse. Babylone alors paraissait être plus tranquille. Le prince d'Hyrcanie avait été tué dans un combat. Les Babyloniens, vainqueurs, déclarèrent qu'Astarté épouserait celui qu'on choisirait pour souverain. On ne voulut point que la première place du monde, qui serait celle de mari d'Astarté et de roi de Babylone, dépendît des intrigues et des cabales. On jura de reconnaître pour roi le plus vaillant et le plus sage. Une grande lice, bordée d'amphithéâtres magnifiquement ornés, fut formée à quelques lieues de la ville. Les combattants devaient s'y rendre armés de toutes pièces. Chacun d'eux avait derrière les amphithéâtres un appartement séparé, où il ne devait être vu ni connu de personne. Il fallait courir quatre lances. Ceux qui seraient assez heureux pour vaincre quatre chevaliers devaient combattre ensuite les uns contre les autres ; de façon que celui qui resterait le dernier maître du champ serait proclamé le vainqueur des jeux. Il devait revenir quatre jours après avec les mêmes armes, et expliquer les énigmes proposées par les mages. S'il n'expliquait point les énigmes, il

n'était point roi, et il fallait recommencer à courir
des lances, jusqu'à ce qu'on trouvât un homme qui
fût vainqueur dans ces deux combats : car on voulait
absolument pour roi le plus vaillant et le plus sage.
La reine, pendant tout ce temps, devait être étroite-
ment gardée : on lui permettait seulement d'assister
aux jeux, couverte d'un voile ; mais on ne souffrait
pas qu'elle parlât à aucun des prétendants, afin qu'il
n'y eût ni faveur ni injustice.

Voilà ce qu'Astarté faisait savoir à son amant,
espérant qu'il montrerait pour elle plus de valeur et
d'esprit que personne. Il partit, et pria Vénus de
fortifier son courage et d'éclairer son esprit. Il arriva
sur le rivage de l'Euphrate la veille de ce grand jour.
Il fit inscrire sa devise parmi celles des combattants,
en cachant son visage et son nom, comme la loi
l'ordonnait, et alla se reposer dans l'appartement qui
lui échut par le sort. Son ami Cador, qui était revenu
à Babylone, après l'avoir inutilement cherché en
Égypte, fit porter dans sa loge une armure complète
que la reine lui envoyait. Il lui fit amener aussi de sa
part le plus beau cheval de Perse. Zadig reconnut
Astarté à ces présents : son courage et son amour
en prirent de nouvelles forces et de nouvelles
espérances.

Le lendemain, la reine étant venue se placer sous
un dais de pierreries, et les amphithéâtres étant rem-
plis de toutes les dames et de tous les ordres de
Babylone, les combattants parurent dans le cirque.
Chacun d'eux vint mettre sa devise aux pieds du
grand mage. On tira au sort les devises ; celle de
Zadig fut la dernière. Le premier qui s'avança était
un seigneur très riche, nommé Itobad, fort vain, peu
courageux, très maladroit, et sans esprit. Ses domestiques l'avaient persuadé qu'un homme comme lui

devait être roi ; il leur avait répondu : « Un homme comme moi doit régner. » Ainsi on l'avait armé de pied en cap. Il portait une armure d'or émaillée de vert, un panache vert, une lance ornée de rubans verts. On s'aperçut d'abord, à la manière dont Itobad gouvernait son cheval, que ce n'était pas un homme comme lui à qui le ciel réservait le sceptre de Baby-lone. Le premier cavalier qui courut contre lui le désarçonna ; le second le renversa sur la croupe de son cheval, les deux jambes en l'air et les bras étendus. Itobad se remit, mais de si mauvaise grâce que tout l'amphithéâtre se mit à rire. Un troisième ne daigna pas se servir de sa lance ; mais, en lui faisant une passe, il le prit par la jambe droite, et lui faisant faire un demi-tour, il le fit tomber sur le sable : les écuyers des jeux accoururent à lui en riant, et le remirent en selle. Le quatrième combattant le prend par la jambe gauche, et le fait tomber de l'autre côté. On le conduisit avec des huées à sa loge, où il devait passer la nuit selon la loi ; et il disait en marchant à peine : « Quelle aventure pour un homme comme moi ! »

Les autres chevaliers s'acquittèrent mieux de leur devoir. Il y en eut qui vainquirent deux combattants de suite ; quelques-uns allèrent jusqu'à trois. Il n'y eut que le prince Otame qui en vainquit quatre. Enfin Zadig combattit à son tour ; il désarçonna quatre cavaliers de suite avec toute la grâce possible. Il fallut donc voir qui serait vainqueur d'Otame ou de Zadig. Le premier portait des armes bleues et or, avec un panache de même ; celles de Zadig étaient blan-ches. Tous les vœux se partageaient entre le cavalier bleu et le cavalier blanc. La reine, à qui le cœur palpitait, faisait des prières au ciel pour la couleur blanche.

Les deux champions firent des passes et des voltes
avec tant d'agilité, ils se donnèrent de si beaux coups
de lance, ils étaient si fermes sur leurs arçons, que
tout le monde, hors la reine, souhaitait qu'il y eût
deux rois dans Babylone. Enfin, leurs chevaux étant
lassés et leurs lances rompues, Zadig usa de cette
adresse : il passe derrière le prince bleu, s'élance sur
la croupe de son cheval, le prend par le milieu du
corps, le jette à terre, se met en selle à sa place, et
caracole autour d'Otame étendu sur la place. Tout
l'amphithéâtre crie : « Victoire au cavalier blanc ! »
Otame, indigné, se relève, tire son épée ; Zadig saute
de cheval, le sabre à la main. Les voilà tous deux sur
l'arène, livrant un nouveau combat où la force et
l'agilité triomphent tour à tour. Les plumes de leur
casque, les clous de leurs brassards, les mailles de
leur armure sautent au loin sous mille coups précipités. Ils frappent de pointe et de taille, à droite, à
gauche, sur la tête, sur la poitrine ; ils reculent, ils
avancent, ils se mesurent, ils se rejoignent, ils se
saisissent, ils se replient comme des serpents, ils
s'attaquent comme des lions ; le feu jaillit à tout
moment des coups qu'ils se portent. Enfin Zadig,
ayant un moment repris ses esprits, s'arrête, fait une
feinte, passe sur Otame, le fait tomber, le désarme,
et Otame s'écrie : « Ô chevalier blanc ! c'est vous
qui devez régner sur Babylone. » La reine était au
comble de la joie. On reconduisit le chevalier bleu
et le chevalier blanc chacun à leur loge, ainsi que
tous les autres, selon ce qui était porté par la loi. Des
muets vinrent les servir et leur apporter à manger.
On peut juger si le petit muet de la reine ne fut pas
celui qui servit Zadig. Ensuite on les laissa dormir
seuls jusqu'au lendemain matin, temps où le vain-

queur devait apporter sa devise au grand mage, pour
la confronter et se faire reconnaître.

Zadig dormit, quoique amoureux, tant il était fatigué. Itobad, qui était couché auprès de lui, ne dormit
point. Il se leva pendant la nuit, entra dans sa loge,
prit les armes blanches de Zadig avec sa devise, et
mit son armure verte à la place. Le point du jour
étant venu, il alla fièrement au grand mage déclarer
qu'un homme comme lui était vainqueur. On ne s'y
attendait pas ; mais il fut proclamé pendant que Zadig
dormait encore. Astarté, surprise, et le désespoir
dans le cœur, s'en retourna dans Babylone. Tout
l'amphithéâtre était déjà presque vide lorsque Zadig
s'éveilla ; il chercha ses armes, et ne trouva que cette
armure verte. Il était obligé de s'en couvrir, n'ayant
rien autre chose auprès de lui. Étonné et indigné, il
les endosse avec fureur, il avance dans cet équipage.

Tout ce qui était encore sur l'amphithéâtre et dans
le cirque le reçut avec des huées. On l'entourait ;
on lui insultait en face. Jamais homme n'essuya
des mortifications si humiliantes. La patience lui
échappa ; il écarta à coups de sabre la populace qui
osait l'outrager ; mais il ne savait quel parti prendre.
Il ne pouvait voir la reine ; il ne pouvait réclamer
l'armure blanche qu'elle lui avait envoyée ; c'eût été
la compromettre ; ainsi, tandis qu'elle était plongée
dans la douleur, il était pénétré de fureur et d'inquiétude. Il se promenait sur les bords de l'Euphrate,
persuadé que son étoile le destinait à être malheureux
sans ressource, repassant dans son esprit toutes ses
disgrâces depuis l'aventure de la femme qui haïssait
les borgnes, jusqu'à celle de son armure. « Voilà ce
que c'est, disait-il, de m'être éveillé trop tard ; si
j'avais moins dormi, je serais roi de Babylone, je
posséderais Astarté. Les sciences, les mœurs, le cou-

rage, n'ont donc jamais servi qu'à mon infortune. »
Il lui échappa enfin de murmurer contre la Providence, et il fut tenté de croire que tout était gouverné
par une destinée cruelle qui opprimait les bons et qui
faisait prospérer les chevaliers verts. Un de ses cha-
grins était de porter cette armure verte qui lui avait
attiré tant de huées. Un marchand passa, il la lui vendit à vil prix, et prit du marchand une robe et un bonnet long. Dans cet équipage, il côtoyait l'Euphrate,
rempli de désespoir et accusant en secret la Providence, qui le persécutait toujours.

L'ERMITE

Il rencontra en marchant un ermite, dont la barbe
blanche et vénérable lui descendait jusqu'à la ceinture. Il tenait en main un livre qu'il lisait attentive-
ment. Zadig s'arrêta, et lui fit une profonde
inclination. L'ermite le salua d'un air si noble et si
doux que Zadig eut la curiosité de l'entretenir. Il lui
demanda quel livre il lisait. « C'est le livre des
destinées, dit l'ermite ; voulez-vous en lire quelque
chose ? » Il mit le livre dans les mains de Zadig, qui,
tout instruit qu'il était dans plusieurs langues, ne put
déchiffrer un seul caractère du livre. Cela redoubla
encore sa curiosité. « Vous me paraissez bien cha-
grin, lui dit ce bon père. – Hélas ! que j'en ai sujet !
dit Zadig. – Si vous permettez que je vous accom-
pagne, repartit le vieillard, peut-être vous serai-je
utile : j'ai quelquefois répandu des sentiments de
consolation dans l'âme des malheureux. » Zadig se
sentit du respect pour l'air, pour la barbe, et pour le
livre de l'ermite. Il lui trouva dans la conversation
des lumières supérieures. L'ermite parlait de la destinée, de la justice, de la morale, du souverain bien,

de la faiblesse humaine, des vertus et des vices, avec une éloquence si vive et si touchante que Zadig se sentit entraîné vers lui par un charme invincible. Il le pria avec instance de ne le point quitter, jusqu'à ce qu'ils fussent de retour à Babylone. « Je vous demande moi-même cette grâce, lui dit le vieillard ; jurez-moi par Orosmade que vous ne vous séparerez point de moi d'ici à quelques jours, quelque chose que je fasse. » Zadig jura, et ils partirent ensemble.

Les deux voyageurs arrivèrent le soir à un château superbe. L'ermite demanda l'hospitalité pour lui et pour le jeune homme qui l'accompagnait. Le portier, qu'on aurait pris pour un grand seigneur, les introduisit avec une espèce de bonté dédaigneuse. On les présenta à un principal domestique, qui leur fit voir les appartements magnifiques du maître. Ils furent admis à sa table au bas bout, sans que le seigneur du château les honorât d'un regard ; mais ils furent servis comme les autres avec délicatesse et profusion. On leur donna ensuite à laver dans un bassin d'or garni d'émeraudes et de rubis. On les mena coucher dans un bel appartement, et le lendemain matin un domestique leur apporta à chacun une pièce d'or, après quoi on les congédia.

« Le maître de la maison, dit Zadig en chemin, me paraît être un homme généreux, quoique un peu fier ; il exerce noblement l'hospitalité. » En disant ces paroles, il aperçut qu'une espèce de poche très large que portait l'ermite paraissait tendue et enflée : il y vit le bassin d'or garni de pierreries, que celui-ci avait volé. Il n'osa d'abord en rien témoigner ; mais il était dans une étrange surprise.

Vers le midi, l'ermite se présenta à la porte d'une maison très petite, où logeait un riche avare ; il y demanda l'hospitalité pour quelques heures. Un vieux valet mal habillé le reçut d'un ton rude, et fit entrer l'ermite et Zadig dans l'écurie, où on leur donna quelques olives pourries, de mauvais pain, et de la bière gâtée. L'ermite but et mangea d'un air aussi content que la veille ; puis s'adressant à ce vieux valet qui les observait tous deux pour voir s'ils ne volaient rien, et qui les pressait de partir, il lui donna les deux pièces d'or qu'il avait reçues le matin, et le remercia de toutes ses attentions. « Je vous prie, ajouta-t-il, faites-moi parler à votre maître. » Le valet, étonné, introduisit les deux voyageurs. « Magnifique seigneur, dit l'ermite, je ne puis que vous rendre de très humbles grâces de la manière noble dont vous nous avez reçus : daignez accepter ce bassin d'or comme un faible gage de ma reconnaissance. » L'avare fut près de tomber à la renverse. L'ermite ne lui donna pas le temps de revenir de son saisissement ; il partit au plus vite avec son jeune voyageur. « Mon père, lui dit Zadig, qu'est-ce que tout ce que je vois ? Vous ne me paraissez ressembler en rien aux autres hommes : vous volez un bassin d'or garni de pierreries à un seigneur qui vous reçoit magnifiquement, et vous le donnez à un avare qui vous traite avec indignité. – Mon fils, répondit le vieillard, cet homme magnifique, qui ne reçoit les étrangers que par vanité, et pour faire admirer ses richesses, deviendra plus sage ; l'avare apprendra à exercer l'hospitalité : ne vous étonnez de rien, et suivez-moi. » Zadig ne savait encore s'il avait affaire au plus fou ou au plus sage de tous les hommes ; mais l'ermite parlait avec tant d'ascendant que Zadig, lié d'ailleurs par son serment, ne put s'empêcher de le suivre.

Ils arrivèrent le soir à une maison agréablement bâtie, mais simple, où rien ne sentait ni la prodigalité ni l'avarice. Le maître était un philosophe retiré du monde, qui cultivait en paix la sagesse et la vertu, et qui cependant ne s'ennuyait pas. Il s'était plu à bâtir cette retraite dans laquelle il recevait les étrangers avec une noblesse qui n'avait rien de l'ostentation. Il alla lui-même au-devant des deux voyageurs, qu'il fit reposer d'abord dans un appartement commode. Quelque temps après, il les vint prendre lui-même pour les inviter à un repas propre et bien entendu, pendant lequel il parla avec discrétion des dernières révolutions de Babylone. Il parut sincèrement attaché à la reine, et souhaita que Zadig eût paru dans la lice pour disputer la couronne. « Mais les hommes, ajouta-t-il, ne méritent pas d'avoir un roi comme Zadig. » Celui-ci rougissait, et sentait redoubler ses douleurs. On convint dans la conversation que les choses de ce monde n'allaient pas toujours au gré des plus sages. L'ermite soutint toujours qu'on ne connaissait pas les voies de la Providence, et que les hommes avaient tort de juger d'un tout dont ils n'apercevaient que la plus petite partie.

On parla des passions. « Ah ! qu'elles sont funestes ! disait Zadig. – Ce sont les vents qui enflent les voiles du vaisseau, repartit l'ermite : elles le submergent quelquefois ; mais sans elles il ne pourrait voguer. La bile rend colère et malade ; mais sans la bile l'homme ne saurait vivre. Tout est dangereux ici-bas, et tout est nécessaire. »

On parla de plaisir, et l'ermite prouva que c'est un présent de la Divinité ; « car, dit-il, l'homme ne peut se donner ni sensation ni idées, il reçoit tout ; la peine et le plaisir lui viennent d'ailleurs comme son être ».

Zadig admirait comment un homme qui avait fait des choses si extravagantes pouvait raisonner si bien.

Enfin, après un entretien aussi instructif qu'agréable, l'hôte reconduisit ses deux voyageurs dans leur appartement, en bénissant le Ciel qui lui avait envoyé deux hommes si sages et si vertueux. Il leur offrit de l'argent d'une manière aisée et noble qui ne pouvait déplaire. L'ermite le refusa, et lui dit qu'il prenait congé de lui, comptant partir pour Babylone avant le jour. Leur séparation fut tendre, Zadig surtout se sentait plein d'estime et d'inclination pour un homme si aimable.

Quand l'ermite et lui furent dans leur appartement, ils firent longtemps l'éloge de leur hôte. Le vieillard au point du jour éveilla son camarade. « Il faut partir, dit-il ; mais tandis que tout le monde dort encore, je veux laisser à cet homme un témoignage de mon estime et de mon affection. » En disant ces mots, il prit un flambeau, et mit le feu à la maison. Zadig, épouvanté, jeta des cris, et voulut l'empêcher de commettre une action si affreuse. L'ermite l'entraînait par une force supérieure ; la maison était enflammée. L'ermite, qui était déjà assez loin avec son compagnon, la regardait brûler tranquillement. « Dieu merci ! dit-il, voilà la maison de mon cher hôte détruite de fond en comble ! L'heureux homme ! » À ces mots Zadig fut tenté à la fois d'éclater de rire, de dire des injures au révérend père, de le battre, et de s'enfuir ; mais il ne fit rien de tout cela, et, toujours subjugué par l'ascendant de l'ermite, il le suivit malgré lui à la dernière couchée.

Ce fut chez une veuve charitable et vertueuse qui avait un neveu de quatorze ans, plein d'agréments et son unique espérance. Elle fit du mieux qu'elle put les honneurs de sa maison. Le lendemain, elle ordonna à son neveu d'accompagner les voyageurs jusqu'à un pont qui, étant rompu depuis peu, était devenu un passage dangereux. Le jeune homme, empressé, marche au-devant d'eux. Quand ils furent sur le pont : « Venez, dit l'ermite au jeune homme, il faut que je marque ma reconnaissance à votre tante. » Il le prend alors par les cheveux, et le jette dans la rivière. L'enfant tombe, reparaît un moment sur l'eau, et est engouffré dans le torrent. « Ô monstre ! ô le plus scélérat de tous les hommes ! s'écria Zadig. – Vous m'aviez promis plus de patience, lui dit l'ermite en l'interrompant ; apprenez que sous les ruines de cette maison où la Providence a mis le feu, le maître a trouvé un trésor immense ; apprenez que ce jeune homme dont la Providence a tordu le cou aurait assassiné sa tante dans un an, et vous dans deux. – Qui te l'a dit, barbare ? cria Zadig ; et quand tu aurais lu cet événement dans ton livre des destinées, t'est-il permis de noyer un enfant qui ne t'a point fait de mal ? »

Tandis que le Babylonien parlait, il aperçut que le vieillard n'avait plus de barbe, que son visage prenait les traits de la jeunesse. Son habit d'ermite disparut ; quatre belles ailes couvraient un corps majestueux et resplendissant de lumière. « Ô envoyé du ciel ! ô ange divin ! s'écria Zadig en se prosternant, tu es donc descendu de l'empyrée pour apprendre à un faible mortel à se soumettre aux ordres éternels ? – Les hommes, dit l'ange Jesrad, jugent de tout sans rien connaître : tu étais celui de tous les hommes qui méritait le plus d'être éclairé. » Zadig lui demanda la permission de parler. « Je me défie de moi-même, dit-il ; mais oserai-je te prier de m'éclaircir un doute ; ne vaudrait-il pas mieux avoir corrigé cet enfant, et l'avoir rendu vertueux, que de le noyer ? » Jesrad reprit : « S'il avait été vertueux, et s'il eût vécu, son destin était d'être assassiné lui-même avec la femme

qu'il devait épouser, et le fils qui en devait naître.
– Mais quoi ! dit Zadig, il est donc nécessaire qu'il
y ait des crimes et des malheurs ? et les malheurs
tombent sur les gens de bien ! – Les méchants, répondit Jesrad, sont toujours malheureux : ils servent à
éprouver un petit nombre de justes répandus sur la
terre, et il n'y a point de mal dont il ne naisse un
bien. – Mais, dit Zadig, s'il n'y avait que du bien, et
point de mal ? – Alors, reprit Jesrad, cette terre serait
une autre terre, l'enchaînement des événements serait
un autre ordre de sagesse ; et cet autre ordre, qui
serait parfait, ne peut être que dans la demeure éternelle de l'Être suprême, de qui le mal ne peut approcher. Il a créé des millions de mondes dont aucun ne
peut ressembler à l'autre. Cette immense variété est
un attribut de sa puissance immense. Il n'y a ni deux
feuilles d'arbre sur la terre, ni deux globes dans les
champs infinis du ciel, qui soient semblables, et tout
ce que tu vois sur le petit atome où tu es né devait
être dans sa place et dans son temps fixe, selon les
ordres immuables de celui qui embrasse tout. Les
hommes pensent que cet enfant qui vient de périr
est tombé dans l'eau par hasard, que c'est par un
même hasard que cette maison est brûlée ; mais il
n'y a point de hasard : tout est épreuve, ou punition,
ou récompense, ou prévoyance. Souviens-toi de ce
pêcheur qui se croyait le plus malheureux de tous les
hommes. Orosmade t'a envoyé pour changer sa destinée. Faible mortel ! cesse de disputer contre ce qu'il
faut adorer. – Mais, dit Zadig... » Comme il disait
mais, l'ange prenait déjà son vol vers la dixième
sphère. Zadig, à genoux, adora la Providence, et se
soumit. L'ange lui cria du haut des airs : « Prends
ton chemin vers Babylone. »

LES ÉNIGMES

Zadig, hors de lui-même et comme un homme auprès de qui est tombé le tonnerre, marchait au hasard. Il entra dans Babylone le jour où ceux qui avaient combattu dans la lice étaient déjà assemblés dans le grand vestibule du palais pour expliquer les énigmes, et pour répondre aux questions du grand mage. Tous les chevaliers étaient arrivés, excepté l'armure verte. Dès que Zadig parut dans la ville, le peuple s'assembla autour de lui ; les yeux ne se rassasiaient point de le voir, les bouches de le bénir, les cœurs de lui souhaiter l'empire. L'envieux le vit passer, frémit, et se détourna ; le peuple le porta jusqu'au lieu de l'assemblée. La reine, à qui on apprit son arrivée, fut en proie à l'agitation de la crainte et de l'espérance ; l'inquiétude la dévorait : elle ne pouvait comprendre ni pourquoi Zadig était sans armes, ni comment Itobad portait l'armure blanche. Un murmure confus s'éleva à la vue de Zadig. On était surpris et charmé de le revoir ; mais il n'était permis qu'aux chevaliers qui avaient combattu de paraître dans l'assemblée.

« J'ai combattu comme un autre, dit-il ; mais un autre porte ici mes armes ; et, en attendant que j'aie l'honneur de le prouver, je demande la permission de me présenter pour expliquer les énigmes. » On alla aux voix : sa réputation de probité était encore si fortement imprimée dans les esprits qu'on ne balança pas à l'admettre.

Le grand mage proposa d'abord cette question : « Quelle est de toutes les choses du monde la plus longue et la plus courte, la plus prompte et la plus lente, la plus divisible et la plus étendue, la plus négligée et la plus regrettée, sans qui rien ne se peut faire, qui dévore tout ce qui est petit, et qui vivifie tout ce qui est grand ? »

C'était à Itobad à parler. Il répondit qu'un homme comme lui n'entendait rien aux énigmes, et qu'il lui suffisait d'avoir vaincu à grands coups de lance. Les uns dirent que le mot de l'énigme était la fortune, d'autres la terre, d'autres la lumière. Zadig dit que c'était le temps : « Rien n'est plus long, ajouta-t-il, puisqu'il est la mesure de l'éternité ; rien n'est plus court, puisqu'il manque à tous nos projets ; rien n'est plus lent pour qui attend ; rien de plus rapide pour qui jouit ; il s'étend jusqu'à l'infini en grand ; il se divise jusque dans l'infini en petit ; tous les hommes le négligent, tous en regrettent la perte ; rien ne se fait sans lui ; il fait oublier tout ce qui est indigne de la postérité, et il immortalise les grandes choses. » L'assemblée convint que Zadig avait raison.

On demanda ensuite : « Quelle est la chose qu'on reçoit sans remercier, dont on jouit sans savoir comment, qu'on donne aux autres quand on ne sait où l'on en est, et qu'on perd sans s'en apercevoir ? »

Chacun dit son mot : Zadig devina seul que c'était la vie. Il expliqua toutes les autres énigmes avec la même facilité. Itobad disait toujours que rien n'était plus aisé, et qu'il en serait venu à bout tout aussi facilement s'il avait voulu s'en donner la peine. On proposa des questions sur la justice, sur le souverain bien, sur l'art de régner. Les réponses de Zadig furent jugées les plus solides. « C'est bien dommage, disait-on, qu'un si bon esprit soit un si mauvais cavalier.

— Illustres seigneurs, dit Zadig, j'ai eu l'honneur de vaincre dans la lice. C'est à moi qu'appartient l'armure blanche. Le seigneur Itobad s'en empara pendant mon sommeil : il jugea apparemment qu'elle lui siérait mieux que la verte. Je suis prêt de lui prouver d'abord devant vous, avec ma robe et mon épée, contre toute cette belle armure blanche qu'il m'a prise, que c'est moi qui ai eu l'honneur de vaincre le brave Otame. »

Itobad accepta le défi avec la plus grande confiance. Il ne doutait pas qu'étant casqué, cuirassé, brassardé, il ne vînt aisément à bout d'un champion en bonnet de nuit et en robe de chambre. Zadig tira son épée, en saluant la reine, qui le regardait, pénétrée de joie et de crainte. Itobad tira la sienne, en ne saluant personne. Il s'avança sur Zadig comme un homme qui n'avait rien à craindre. Il était prêt à lui fendre la tête : Zadig sut parer le coup, en opposant ce qu'on appelle le fort de l'épée au faible de son adversaire, de façon que l'épée d'Itobad se rompit. Alors Zadig, saisissant son ennemi au corps, le renversa par terre ; et lui portant la pointe de son épée au défaut de la cuirasse : « Laissez-vous désarmer, dit-il, ou je vous tue. » Itobad, toujours surpris des disgrâces qui arrivaient à un homme comme lui, laissa faire Zadig, qui lui ôta paisiblement son magnifique casque, sa superbe cuirasse, ses beaux brassards, ses brillants cuissards, s'en revêtit, et courut dans cet équipage se jeter aux genoux d'Astarté. Cador prouva aisément que l'armure appartenait à Zadig. Il fut reconnu roi d'un consentement unanime, et surtout de celui d'Astarté, qui goûtait, après tant d'adversités, la douceur de voir son amant digne aux yeux de l'univers d'être son époux. Itobad alla se faire appeler monseigneur dans sa maison. Zadig fut roi, et fut heureux. Il avait présent à l'esprit ce que lui avait dit l'ange Jesrad. Il se souvenait même du grain de sable devenu diamant. La reine et lui adorèrent la Providence. Zadig laissa la belle capricieuse Missouf courir le monde. Il envoya chercher le brigand Arbogad,

auquel il donna un grade honorable dans son armée,
avec promesse de l'avancer aux premières dignités
s'il se comportait en vrai guerrier, et de le faire
pendre s'il faisait le métier de brigand.

Sétoc fut appelé du fond de l'Arabie, avec la belle
Almona, pour être à la tête du commerce de Babylone. Cador fut placé et chéri selon ses services ; il
fut l'ami du roi, et le roi fut alors le seul monarque
de la terre qui eût un ami. Le petit muet ne fut pas
oublié. On donna une belle maison au pêcheur. Orcan
fut condamné à lui payer une grosse somme, et à lui
rendre sa femme ; mais le pêcheur, devenu sage, ne
prit que l'argent.

Ni la belle Sémire ne se consolait d'avoir cru que
Zadig serait borgne, ni Azora ne cessait de pleurer
d'avoir voulu lui couper le nez. Il adoucit leurs
douleurs par des présents. L'envieux mourut de rage
et de honte. L'empire jouit de la paix, de la gloire et
de l'abondance ; ce fut le plus beau siècle de la terre :
elle était gouvernée par la justice et par l'amour. On
bénissait Zadig, et Zadig bénissait le ciel.

APPENDICE [1]

LA DANSE

Sétoc devait aller, pour les affaires de son commerce, dans l'île de Serendib, mais le premier mois de son mariage qui est, comme on sait, la lune du miel, ne lui permettait ni de quitter sa femme, ni de croire qu'il pût jamais la quitter : il pria son ami Zadig de faire pour lui le voyage. « Hélas ! disait Zadig, faut-il que je mette encore un plus vaste espace entre la belle Astarté et moi ? Mais il faut servir mes bienfaiteurs. » Il dit, il pleura, et il partit.

Il ne fut pas longtemps dans l'île de Serendib sans y être regardé comme un homme extraordinaire. Il devint l'arbitre de tous les différends entre les négociants, l'ami des sages, le conseil du petit nombre de gens qui prennent conseil. Le roi voulut le voir et l'entendre. Il connut bientôt tout ce que valait Zadig ; il eut confiance en sa sagesse, et en fit son ami. La familiarité et l'estime du roi fit trembler Zadig. Il était, nuit et jour, pénétré du malheur que lui avaient attiré les bontés de Moabdar. « Je plais au roi, disait-il, ne serai-je pas perdu ? » Cependant il ne pouvait se dérober aux caresses de Sa Majesté : car il faut avouer que Nabussan, roi de Serendib, fils de Nus-

1. Chapitres publiés à titre posthume dans l'édition de Kehl.

sanab, fils de Nabassun, fils de Sanbusna, était un des meilleurs princes de l'Asie ; et que, quand on lui parlait, il était difficile de ne le pas aimer.

Ce bon prince était toujours loué, trompé et volé : c'était à qui pillerait ses trésors. Le receveur général de l'île de Serendib donnait toujours cet exemple, fidèlement suivi par les autres. Le roi le savait ; il avait changé de trésorier plusieurs fois ; mais il n'avait pu changer la mode établie de partager les revenus du roi en deux moitiés inégales, dont la plus petite revenait toujours à Sa Majesté, et la plus grosse aux administrateurs.

Le roi Nabussan confia sa peine au sage Zadig. « Vous qui savez tant de belles choses, lui dit-il, ne sauriez-vous point le moyen de me faire trouver un trésorier qui ne me vole point ? – Assurément, répondit Zadig, je sais une façon infaillible de vous donner un homme qui ait les mains nettes. » Le roi, charmé, lui demanda, en l'embrassant, comment il fallait s'y prendre. « Il n'y a, dit Zadig, qu'à faire danser tous ceux qui se présenteront pour la dignité de trésorier, et celui qui dansera avec le plus de légèreté sera infailliblement le plus honnête homme. – Vous vous moquez, dit le roi ; voilà une plaisante façon de choisir un receveur de mes finances ! Quoi, vous prétendez que celui qui fera le mieux un entrechat sera le financier le plus intègre et le plus habile ! – Je ne vous réponds pas qu'il sera le plus habile, repartit Zadig ; mais je vous assure que ce sera indubitablement le plus honnête homme. » Zadig parlait avec tant de confiance que le roi crut qu'il avait quelque secret surnaturel pour connaître les financiers. « Je n'aime pas le surnaturel, dit Zadig, les gens et les livres à prodiges m'ont toujours déplu : si Votre Majesté veut me laisser faire l'épreuve que je lui propose, elle sera bien convaincue que mon secret est la chose la plus simple et la plus aisée. » Nabussan, roi de Serendib, fut bien plus étonné d'entendre que ce secret était simple, que si on le lui avait donné pour un miracle : « Or bien, dit-il, faites comme vous l'entendrez. – Laissez-moi faire, dit Zadig, vous gagnerez à cette épreuve plus que vous ne pensez. » Le jour même il fit publier, au nom du roi, que tous ceux qui prétendaient à l'emploi de haut receveur des deniers de Sa Gracieuse Majesté Nabussan, fils de Nussanab, eussent à se rendre, en habits de soie légère, le premier de la lune du crocodile, dans l'antichambre du roi. Ils s'y rendirent au nombre de soixante et quatre. On avait fait venir des violons dans un salon voisin ; tout était préparé pour le bal ; mais la porte de ce salon était fermée, et il fallait, pour y entrer, passer par une petite galerie assez obscure. Un huissier vint chercher et introduire chaque candidat, l'un après l'autre, par ce passage dans lequel on le laissait seul quelques minutes. Le roi, qui avait le mot, avait étalé tous ses trésors dans cette galerie. Lorsque tous les prétendants furent arrivés dans le salon, Sa Majesté ordonna qu'on les fît danser. Jamais on ne dansa plus pesamment et avec moins de grâce ; ils avaient tous la tête baissée, les reins courbés, les mains collées à leurs côtés. « Quels fripons ! » disait tout bas Zadig. Un seul d'entre eux formait des pas avec agilité, la tête haute, le regard assuré, les bras étendus, le corps droit, le jarret ferme. « Ah ! l'honnête homme ! le brave homme ! » disait Zadig. Le roi embrassa ce bon danseur, le déclara trésorier, et tous les autres furent punis et taxés avec la plus grande justice du monde : car chacun, dans le temps qu'il avait été dans la galerie, avait rempli ses poches, et pouvait à peine marcher. Le roi fut

fâché pour la nature humaine que de ces soixante et
quatre danseurs il y eût soixante et trois filous. La
galerie obscure fut appelée *le corridor de la tentation*. On aurait en Perse empalé ces soixante et trois
seigneurs ; en d'autres pays on eût fait une chambre
de justice qui eût consommé en frais le triple de
l'argent volé, et qui n'eût rien remis dans les coffres
du souverain ; dans un autre royaume, ils se seraient
pleinement justifiés, et auraient fait disgracier ce
danseur si léger : à Serendib, ils ne furent condamnés
qu'à augmenter le trésor public, car Nabussan était
fort indulgent.

Il était aussi fort reconnaissant ; il donna à Zadig
une somme d'argent plus considérable qu'aucun trésorier n'en avait jamais volé au roi son maître. Zadig
s'en servit pour envoyer des exprès à Babylone, qui
devaient l'informer de la destinée d'Astarté. Sa voix
trembla en donnant cet ordre, son sang reflua vers
son cœur, ses yeux se couvrirent de ténèbres, son
âme fut prête à l'abandonner. Le courrier partit,
Zadig le vit embarquer ; il rentra chez le roi, ne
voyant personne, croyant être dans sa chambre, et
prononçant le nom d'amour. « Ah ! l'amour, dit le
roi ; c'est précisément ce dont il s'agit ; vous avez
deviné ce qui fait ma peine. Que vous êtes un grand
homme ! J'espère que vous m'apprendrez à connaître
une femme à toute épreuve, comme vous m'avez
fait trouver un trésorier désintéressé. » Zadig, ayant
repris ses sens, lui promit de le servir en amour
comme en finance, quoique la chose parût plus difficile encore.

LES YEUX BLEUS

« Le corps et le cœur... », dit le roi à Zadig. À ces mots, le Babylonien ne put s'empêcher d'interrompre Sa Majesté. « Que je vous sais bon gré, dit-il, de n'avoir point dit *l'esprit et le cœur* ! Car on n'entend que ces mots dans les conversations de Babylone ; on ne voit que des livres où il est question du cœur et de l'esprit, composés par des gens qui n'ont ni de l'un ni de l'autre ; mais, de grâce, sire, poursuivez. » Nabussan continua ainsi : « Le corps et le cœur sont chez moi destinés à aimer ; la première de ces deux puissances a tout lieu d'être satisfaite. J'ai ici cent femmes à mon service, toutes belles, complaisantes, prévenantes, voluptueuses même, ou feignant de l'être avec moi. Mon cœur n'est pas à beaucoup près si heureux. Je n'ai que trop éprouvé qu'on caresse beaucoup le roi de Serendib, et qu'on se soucie fort peu de Nabussan. Ce n'est pas que je croie mes femmes infidèles ; mais je voudrais trouver une âme qui fût à moi ; je donnerais pour un pareil trésor les cent beautés dont je possède les charmes : voyez si, sur ces cent sultanes, vous pouvez m'en trouver une dont je sois sûr d'être aimé. »

Zadig lui répondit comme il avait fait sur l'article des financiers : « Sire, laissez-moi faire ; mais permettez d'abord que je dispose de ce que vous aviez étalé dans la galerie de la tentation ; je vous en rendrai bon compte, et vous n'y perdrez rien. » Le roi le laissa le maître absolu. Il choisit dans Serendib trente-trois petits bossus des plus vilains qu'il put trouver, trente-trois pages des plus beaux, et trente-trois bonzes des plus éloquents et des plus robustes. Il leur laissa à tous la liberté d'entrer dans les cellules des sultanes ; chaque petit bossu eut quatre mille

pièces d'or à donner ; et dès le premier jour tous les
bossus furent heureux. Les pages, qui n'avaient rien
à donner qu'eux-mêmes, ne triomphèrent qu'au bout
de deux ou trois jours. Les bonzes eurent un peu plus
de peine ; mais enfin trente-trois dévotes se rendirent
à eux. Le roi, par des jalousies qui avaient vue sur
toutes les cellules, vit toutes ces épreuves, et fut
émerveillé. De ses cent femmes, quatre-vingt-dix-
neuf succombèrent à ses yeux. Il en restait une toute
jeune, toute neuve, de qui Sa Majesté n'avait jamais
approché. On lui détacha, un, deux, trois bossus, qui
lui offrirent jusqu'à vingt mille pièces ; elle fut
incorruptible, et ne put s'empêcher de rire de l'idée
qu'avaient ces bossus de croire que de l'argent les
rendrait mieux faits. On lui présenta les deux plus
beaux pages ; elle dit qu'elle trouvait le roi encore
plus beau. On lui lâcha le plus éloquent des bonzes,
et ensuite le plus intrépide ; elle trouva le premier un
bavard, et ne daigna pas même soupçonner le mérite
du second. « Le cœur fait tout, disait-elle ; je ne
céderai jamais ni à l'or d'un bossu, ni aux grâces
d'un jeune homme, ni aux séductions d'un bonze :
j'aimerai uniquement Nabussan, fils de Nussanab, et
j'attendrai qu'il daigne m'aimer. » Le roi fut transporté de joie, d'étonnement et de tendresse. Il reprit
tout l'argent qui avait fait réussir les bossus, et en fit
présent à la belle Falide : c'était le nom de cette jeune
personne. Il lui donna son cœur : elle le méritait bien.
Jamais la fleur de la jeunesse ne fut si brillante ;
jamais les charmes de la beauté ne furent si enchan-
teurs. La vérité de l'histoire ne permet pas de taire
qu'elle faisait mal la révérence ; mais elle dansait
comme les fées, chantait comme les sirènes, et parlait
comme les Grâces : elle était pleine de talents et de
vertus.

Nabussan, aimé, l'adora ; mais elle avait les yeux bleus, et ce fut la source des plus grands malheurs. Il y avait une ancienne loi qui défendait aux rois d'aimer une de ces femmes que les Grecs ont appelées depuis boopies. Le chef des bonzes avait établi cette loi il y avait plus de cinq mille ans ; c'était pour s'approprier la maîtresse du premier roi de l'île de Serendib que ce premier bonze avait fait passer l'anathème des yeux bleus en constitution fondamentale d'État. Tous les ordres de l'empire vinrent faire à Nabussan des remontrances. On disait publiquement que les derniers jours du royaume étaient arrivés, que l'abomination était à son comble, que toute la nature était menacée d'un événement sinistre ; qu'en un mot Nabussan, fils de Nussanab, aimait deux grands yeux bleus. Les bossus, les financiers, les bonzes, et les brunes, remplirent le royaume de leurs plaintes.

Les peuples sauvages qui habitent le nord de Serendib profitèrent de ce mécontentement général. Ils firent une irruption dans les États du bon Nabussan. Il demanda des subsides à ses sujets ; les bonzes, qui possédaient la moitié des revenus de l'État, se contentèrent de lever les mains au ciel, et refusèrent de les mettre dans leurs coffres pour aider le roi. Ils firent de belles prières en musique, et laissèrent l'État en proie aux barbares.

« Ô mon cher Zadig, me tireras-tu encore de cet horrible embarras ? s'écria douloureusement Nabussan. – Très volontiers, répondit Zadig ; vous aurez de l'argent des bonzes tant que vous en voudrez. Laissez à l'abandon les terres où sont situés leurs châteaux, et défendez seulement les vôtres. » Nabussan n'y manqua pas : les bonzes vinrent se jeter aux pieds du roi, et implorer son assistance. Le roi leur répondit par une belle musique dont les paroles

étaient des prières au ciel pour la conservation de
leurs terres. Les bonzes enfin donnèrent de l'argent,
et le roi finit heureusement la guerre. Ainsi Zadig,
par ses conseils sages et heureux, et par les plus
grands services, s'était attiré l'irréconciliable inimi-
tié des hommes les plus puissants de l'État ; les
bonzes et les brunes jurèrent sa perte ; les financiers
et les bossus ne l'épargnèrent pas ; on le rendit
suspect au bon Nabussan. Les services rendus res-
tent souvent dans l'antichambre, et les soupçons
entrent dans le cabinet, selon la sentence de Zoroastre : c'était tous les jours de nouvelles accusations ;
la première est repoussée, la seconde effleure, la
troisième blesse, la quatrième tue.

Zadig, intimidé, qui avait bien fait les affaires de
son ami Sétoc, et qui lui avait fait tenir son argent,
ne songea plus qu'à partir de l'île, et résolut d'aller
lui-même chercher des nouvelles d'Astarté. « Car,
disait-il, si je reste dans Serendib, les bonzes me
feront empaler ; mais où aller ? je serai esclave en
Égypte, brûlé selon toutes les apparences en Arabie,
étranglé à Babylone. Cependant il faut savoir ce
qu'Astarté est devenue : partons, et voyons à quoi
me réserve ma triste destinée. »

MICROMÉGAS

HISTOIRE PHILOSOPHIQUE

Micromégas a été publié en 1752.

CHAPITRE PREMIER

VOYAGE D'UN HABITANT DU MONDE
DE L'ÉTOILE SIRIUS
DANS LA PLANÈTE DE SATURNE

Dans une de ces planètes qui tournent autour de l'étoile nommée Sirius, il y avait un jeune homme de beaucoup d'esprit, que j'ai eu l'honneur de connaître dans le dernier voyage qu'il fit sur notre petite fourmilière ; il s'appelait Micromégas, nom qui convient fort à tous les grands. Il avait huit lieues de haut : j'entends, par huit lieues, vingt-quatre mille pas géométriques de cinq pieds chacun.

Quelques algébristes, gens toujours utiles au public, prendront sur-le-champ la plume, et trouveront que, puisque M. Micromégas, habitant du pays de Sirius, a de la tête aux pieds vingt-quatre mille pas, qui font cent vingt mille pieds de roi, et que nous autres, citoyens de la terre, nous n'avons guère que cinq pieds, et que notre globe a neuf mille lieues de tour ; ils trouveront, dis-je, qu'il faut absolument que le globe qui l'a produit ait au juste vingt et un millions six cent mille fois plus de circonférence que notre petite terre. Rien n'est plus simple et plus ordinaire dans la nature. Les États de quelques sou-

verains d'Allemagne ou d'Italie, dont on peut faire
le tour en une demi-heure, comparés à l'empire de
Turquie, de Moscovie ou de la Chine, ne sont qu'une
très faible image des prodigieuses différences que la
nature a mises dans tous les êtres.

La taille de Son Excellence étant de la hauteur que
j'ai dite, tous nos sculpteurs et tous nos peintres
conviendront sans peine que sa ceinture peut avoir
cinquante mille pieds de roi de tour ; ce qui fait une
très jolie proportion.

Quant à son esprit, c'est un des plus cultivés que
nous ayons ; il sait beaucoup de choses, il en a
inventé quelques-unes : il n'avait pas encore deux
cent cinquante ans, et il étudiait, selon la coutume,
au collège des jésuites de sa planète, lorsqu'il devina,
par la force de son esprit, plus de cinquante propositions d'Euclide. C'est dix-huit de plus que Blaise
Pascal, lequel, après en avoir deviné trente-deux en
se jouant, à ce que dit sa sœur, devint depuis un
géomètre assez médiocre et un fort mauvais méta-
physicien. Vers les quatre cent cinquante ans, au
sortir de l'enfance, il disséqua beaucoup de ces petits
insectes qui n'ont pas cent pieds de diamètre, et qui
se dérobent aux microscopes ordinaires ; il en com-
posa un livre fort curieux, mais qui lui fit quelques
affaires. Le muphti de son pays, grand vétillard et
fort ignorant, trouva dans son livre des propositions
suspectes, malsonnantes, téméraires, hérétiques, sentant l'hérésie, et le poursuivit vivement : il s'agissait
de savoir si la forme substantielle des puces de
Sirius était de même nature que celle des colimaçons.
Micromégas se défendit avec esprit ; il mit les femmes de son côté ; le procès dura deux cent vingt ans.
Enfin le muphti fit condamner le livre par des juris-

consultes qui ne l'avaient pas lu, et l'auteur eut ordre de ne paraître à la cour de huit cents années.

Il ne fut que médiocrement affligé d'être banni d'une cour qui n'était remplie que de tracasseries et de petitesses. Il fit une chanson fort plaisante contre le muphti, dont celui-ci ne s'embarrassa guère ; et il se mit à voyager de planète en planète, pour achever de se former *l'esprit et le cœur*, comme l'on dit. Ceux qui ne voyagent qu'en chaise de poste ou en berline seront sans doute étonnés des équipages de là-haut : car nous autres, sur notre petit tas de boue, nous ne concevons rien au-delà de nos usages. Notre voyageur connaissait merveilleusement les lois de la gravitation et toutes les forces attractives et répulsives. Il s'en servait si à propos que, tantôt à l'aide d'un rayon de soleil, tantôt par la commodité d'une comète, il allait de globe en globe, lui et les siens, comme un oiseau voltige de branche en branche. Il parcourut la voie lactée en peu de temps ; et je suis obligé d'avouer qu'il ne vit jamais, à travers les étoiles dont elle est semée, ce beau ciel empyrée que l'illustre vicaire Derham se vante d'avoir vu au bout de sa lunette. Ce n'est pas que je prétende que M. Derham ait mal vu, à Dieu ne plaise ! mais Micromégas était sur les lieux, c'est un bon observateur, et je ne veux contredire personne. Micromégas, après avoir bien tourné, arriva dans le globe de Saturne. Quelque accoutumé qu'il fût à voir des choses nouvelles, il ne put d'abord, en voyant la petitesse du globe et de ses habitants, se défendre de ce sourire de supériorité qui échappe quelquefois aux plus sages. Car enfin Saturne n'est guère que neuf cents fois plus gros que la terre, et les citoyens de ce pays-là sont des nains qui n'ont que mille toises de haut ou environ. Il s'en moqua un peu d'abord avec ses gens, à peu près comme un musicien italien se met à rire de la musique de Lulli, quand il vient en France. Mais, comme le Sirien avait un bon esprit, il comprit bien vite qu'un être pensant peut fort bien n'être pas ridicule pour n'avoir que six mille pieds de haut. Il se familiarisa avec les Saturniens, après les avoir étonnés. Il lia une étroite amitié avec le secrétaire de l'Académie de Saturne, homme de beaucoup d'esprit, qui n'avait à la vérité rien inventé, mais qui rendait un fort bon compte des inventions des autres, et qui faisait passablement de petits vers et de grands calculs. Je rapporterai ici, pour la satisfaction des lecteurs, une conversation singulière que Micromégas eut un jour avec monsieur le secrétaire.

CHAPITRE II

CONVERSATION DE L'HABITANT DE SIRIUS AVEC CELUI DE SATURNE

Après que Son Excellence se fut couchée, et que le secrétaire se fut approché de son visage : « Il faut avouer, dit Micromégas, que la nature est bien variée. – Oui, dit le Saturnien, la nature est comme un parterre dont les fleurs... – Ah ! dit l'autre, laissez là votre parterre. – Elle est, reprit le secrétaire, comme une assemblée de blondes et de brunes dont les parures... – Eh ! qu'ai-je affaire de vos brunes ? dit l'autre. – Elle est donc comme une galerie de peintures dont les traits... – Eh non ! dit le voyageur, encore une fois la nature est comme la nature. Pourquoi lui chercher des comparaisons ? – Pour vous plaire, répondit le secrétaire. – Je ne veux point qu'on me plaise, répondit le voyageur, je veux qu'on m'instruise ; commencez d'abord par me dire combien les hommes de votre globe ont de sens. – Nous en avons soixante et douze, dit l'académicien ; et nous nous plaignons tous les jours du peu. Notre imagination va au-delà de nos besoins ; nous trouvons qu'avec nos soixante et douze sens, notre anneau, nos cinq lunes, nous sommes trop bornés ; et, malgré toute notre curiosité et le nombre assez grand de passions qui résultent de nos soixante et douze sens, nous avons tout le temps de nous ennuyer. – Je le crois bien, dit Micromégas : car dans notre globe nous avons près de mille sens, et il nous reste encore je ne sais quel désir vague, je ne sais quelle inquiétude, qui nous avertit sans cesse que nous sommes peu de chose, et qu'il y a des êtres beaucoup plus parfaits. J'ai un peu voyagé ; j'ai vu des mortels fort au-dessous de nous ; j'en ai vu de fort supérieurs ; mais je n'en ai vu aucuns qui n'aient plus de désirs que de vrais besoins, et plus de besoins que de satisfaction. J'arriverai peut-être un jour au pays où il ne manque rien ; mais jusques à présent personne ne m'a donné de nouvelles positives de ce pays-là. » Le Saturnien et le Sirien s'épuisèrent alors en conjectures ; mais, après beaucoup de raisonnements fort ingénieux et fort incertains, il en fallut revenir aux faits. « Combien de temps vivez-vous ? dit le Sirien. – Ah ! bien peu, répliqua le petit homme de Saturne. – C'est tout comme chez nous, dit le Sirien : nous nous plaignons toujours du peu. Il faut que ce soit une loi universelle de la nature. – Hélas ! nous ne vivons, dit le Saturnien, que cinq cents grandes révolutions du Soleil. (Cela revient à quinze mille ans ou environ, à compter à notre manière.) Vous voyez bien que c'est mourir presque au moment que l'on est né ; notre existence est un point, notre durée un instant, notre globe un atome. À peine a-t-on commencé à s'instruire un peu que la mort arrive avant qu'on ait l'expérience. Pour moi, je n'ose faire aucuns projets ; je me trouve comme une goutte d'eau dans un océan immense. Je suis honteux, surtout devant vous, de la figure ridicule que je fais dans ce monde. »

Micromégas lui repartit : « Si vous n'étiez pas

philosophe, je craindrais de vous affliger en vous apprenant que notre vie est sept cents fois plus longue que la vôtre ; mais vous savez trop bien que quand il faut rendre son corps aux éléments, et ranimer la nature sous une autre forme, ce qui s'appelle mourir ; quand ce moment de métamorphose est venu, avoir vécu une éternité ou avoir vécu un jour, c'est précisément la même chose. J'ai été dans des pays où l'on vit mille fois plus longtemps que chez moi, et j'ai trouvé qu'on y murmurait encore. Mais il y a partout des gens de bon sens qui savent prendre leur parti et remercier l'auteur de la nature. Il a répandu sur cet univers une profusion de variétés, avec une espèce d'uniformité admirable. Par exemple, tous les êtres pensants sont différents, et tous se ressemblent au fond par le don de la pensée et des désirs. La matière est partout étendue ; mais elle a dans chaque globe des propriétés diverses. Combien comptez-vous de ces propriétés diverses dans votre matière ? – Si vous parlez de ces propriétés, dit le Saturnien, sans lesquelles nous croyons que ce globe ne pourrait subsister tel qu'il est, nous en comptons trois cents, comme l'étendue, l'impénétrabilité, la mobilité, la gravitation, la divisibilité, et le reste. – Apparemment, répliqua le voyageur, que ce petit nombre suffit aux vues que le Créateur avait sur votre petite habitation. J'admire en tout sa sagesse ; je vois partout des différences, mais aussi partout des proportions. Votre globe est petit, vos habitants le sont aussi ; vous avez peu de sensations ; votre matière a peu de propriétés : tout cela est l'ouvrage de la Providence. De quelle couleur est votre soleil, bien examiné ? – D'un blanc fort jaunâtre, dit le Saturnien ; et quand nous divisons un de ses rayons, nous trouvons qu'il contient sept couleurs. – Notre soleil tire sur le rouge, dit le Sirien, et nous avons trente-neuf couleurs primitives. Il n'y a pas un soleil, parmi tous ceux dont j'ai approché, qui se ressemble, comme chez vous il n'y a pas un visage qui ne soit différent de tous les autres. »

Après plusieurs questions de cette nature, il s'informa combien de substances essentiellement différentes on comptait dans Saturne. Il apprit qu'on n'en comptait qu'une trentaine, comme Dieu, l'espace, la matière, les êtres étendus qui sentent, les êtres étendus qui sentent et qui pensent, les êtres pensants qui n'ont point d'étendue, ceux qui se pénètrent, ceux qui ne se pénètrent pas, et le reste. Le Sirien, chez qui on en comptait trois cents, et qui en avait découvert trois mille autres dans ses voyages, étonna prodigieusement le philosophe de Saturne. Enfin, après s'être communiqué l'un à l'autre un peu de ce qu'ils savaient et beaucoup de ce qu'ils ne savaient pas, après avoir raisonné pendant une révolution du soleil, ils résolurent de faire ensemble un petit voyage philosophique.

CHAPITRE III

VOYAGE DES DEUX HABITANTS
DE SIRIUS ET DE SATURNE

Nos deux philosophes étaient prêts à s'embarquer dans l'atmosphère de Saturne, avec une fort jolie provision d'instruments mathématiques, lorsque la maîtresse du Saturnien, qui en eut des nouvelles, vint en larmes faire ses remontrances. C'était une jolie petite brune qui n'avait que six cent soixante toises, mais qui réparait par bien des agréments la petitesse de sa taille. « Ah ! cruel ! s'écria-t-elle, après t'avoir résisté quinze cents ans, lorsque enfin je commençais à me rendre, quand j'ai à peine passé cent ans entre tes bras, tu me quittes pour aller voyager avec un géant d'un autre monde ; va, tu n'es qu'un curieux, tu n'as jamais eu d'amour ; si tu étais un vrai Saturnien, tu serais fidèle. Où vas-tu courir ? Que veux-tu ? Nos cinq lunes sont moins errantes que toi, notre anneau est moins changeant. Voilà qui est fait, je n'aimerai jamais plus personne. » Le philosophe l'embrassa, pleura avec elle, tout philosophe qu'il était, et la dame, après s'être pâmée, alla se consoler avec un petit-maître du pays.

Cependant nos deux curieux partirent ; ils sautèrent d'abord sur l'anneau, qu'ils trouvèrent assez plat, comme l'a fort bien deviné un illustre habitant de notre petit globe ; de là ils allèrent de lune en lune. Une comète passait tout auprès de la dernière ; ils s'élancèrent sur elle avec leurs domestiques et leurs instruments. Quand ils eurent fait environ cent cinquante millions de lieues, ils rencontrèrent les satellites de Jupiter. Ils passèrent dans Jupiter même, et y restèrent une année, pendant laquelle ils apprirent de fort beaux secrets, qui seraient actuellement sous presse sans messieurs les inquisiteurs, qui ont trouvé quelques propositions un peu dures. Mais j'en ai lu le manuscrit dans la bibliothèque de l'illustre archevêque de..., qui m'a laissé voir ses livres avec cette générosité et cette bonté qu'on ne saurait assez louer.

Mais revenons à nos voyageurs. En sortant de Jupiter, ils traversèrent un espace d'environ cent millions de lieues, et ils côtoyèrent la planète de Mars, qui, comme on sait, est cinq fois plus petite que notre petit globe ; ils virent deux lunes qui servent à cette planète, et qui ont échappé aux regards de nos astronomes. Je sais bien que le père Castel écrira, et même assez plaisamment, contre l'existence de ces deux lunes ; mais je m'en rapporte à ceux qui raisonnent par analogie. Ces bons philosophes-là savent combien il serait difficile que Mars, qui est si loin du soleil, se passât à moins de deux lunes. Quoi qu'il en soit, nos gens trouvèrent cela si petit qu'ils craignirent de n'y pas trouver de quoi coucher, et ils passèrent leur chemin, comme deux voyageurs qui dédaignent un mauvais cabaret de village et poussent jusqu'à la ville voisine. Mais le Sirien et son compagnon se repentirent bientôt. Ils allèrent longtemps, et ne trouvèrent rien. Enfin ils aperçurent une petite lueur ; c'était la terre : cela fit pitié à des gens qui venaient de Jupiter. Cependant, de peur de se repentir une seconde fois, ils résolurent de débarquer. Ils passèrent sur la queue de la comète, et, trouvant une aurore boréale toute prête, ils se mirent dedans, et arrivèrent à terre sur le bord septentrional de la mer Baltique, le cinq juillet mil sept cent trente-sept, nouveau style.

CHAPITRE IV

CE QUI LEUR ARRIVE
SUR LE GLOBE DE LA TERRE

Après s'être reposés quelque temps, ils mangèrent à leur déjeuner deux montagnes que leurs gens leur apprêtèrent assez proprement. Ensuite ils voulurent reconnaître le petit pays où ils étaient. Ils allèrent d'abord du nord au sud. Les pas ordinaires du Sirien et de ses gens étaient d'environ trente mille pieds de roi ; le nain de Saturne suivait de loin en haletant ; or il fallait qu'il fît environ douze pas quand l'autre faisait une enjambée : figurez-vous (s'il est permis de faire de telles comparaisons) un très petit chien de manchon qui suivrait un capitaine des gardes du roi de Prusse.

Comme ces étrangers-là vont assez vite, ils eurent fait le tour du globe en trente-six heures ; le soleil, à la vérité, ou plutôt la terre, fait un pareil voyage en une journée ; mais il faut songer qu'on va bien plus à son aise quand on tourne sur son axe que quand on marche sur ses pieds. Les voilà donc revenus d'où ils étaient partis, après avoir vu cette mare, presque imperceptible pour eux, qu'on nomme *la Méditerranée*, et cet autre petit étang qui, sous le nom du *grand*

Océan, entoure la taupinière. Le nain n'en avait eu jamais qu'à mi-jambe, et à peine l'autre avait-il mouillé son talon. Ils firent tout ce qu'ils purent en allant et en revenant dessus et dessous pour tâcher d'apercevoir si ce globe était habité ou non. Ils se baissèrent, ils se couchèrent, ils tâtèrent partout ; mais, leurs yeux et leurs mains n'étant point proportionnés aux petits êtres qui rampent ici, ils ne reçurent pas la moindre sensation qui pût leur faire soupçonner que nous et nos confrères les autres habitants de ce globe avons l'honneur d'exister.

Le nain, qui jugeait quelquefois un peu trop vite, décida d'abord qu'il n'y avait personne sur la terre. Sa première raison était qu'il n'avait vu personne. Micromégas lui fit sentir poliment que c'était raisonner assez mal : « Car, disait-il, vous ne voyez pas avec vos petits yeux certaines étoiles de la cinquantième grandeur que j'aperçois très distinctement ; concluez-vous de là que ces étoiles n'existent pas ? – Mais, dit le nain, j'ai bien tâté. – Mais, répondit l'autre, vous avez mal senti. – Mais, dit le nain, ce globe-ci est si mal construit, cela est si irrégulier et d'une forme qui me paraît si ridicule ! tout semble être ici dans le chaos : voyez-vous ces petits ruisseaux dont aucun ne va de droit fil, ces étangs qui ne sont ni ronds, ni carrés, ni ovales, ni sous aucune forme régulière ; tous ces petits grains pointus dont ce globe est hérissé, et qui m'ont écorché les pieds ? (Il voulait parler des montagnes.) Remarquez-vous encore la forme de tout le globe, comme il est plat aux pôles, comme il tourne autour du soleil d'une manière gauche, de façon que les climats des pôles sont nécessairement incultes ? En vérité, ce qui fait que je pense qu'il n'y a ici personne, c'est qu'il me paraît que des gens de bon sens ne voudraient pas y demeurer. – Eh bien, dit Micromégas, ce ne sont peut-être pas non plus des gens de bon sens qui l'habitent. Mais enfin il y a quelque apparence que ceci n'est pas fait pour rien. Tout vous paraît irrégulier ici, dites-vous, parce que tout est tiré au cordeau dans Saturne et dans Jupiter. Eh ! c'est peut-être par cette raison-là même qu'il y a ici un peu de confusion. Ne vous ai-je pas dit que dans mes voyages j'avais toujours remarqué de la variété ? » Le Saturnien répliqua à toutes ces raisons. La dispute n'eût jamais fini, si par bonheur Micromégas, en s'échauffant à parler, n'eût cassé le fil de son collier de diamants. Les diamants tombèrent : c'étaient de jolis petits carats assez inégaux, dont les plus gros pesaient quatre cents livres, et les plus petits cinquante. Le nain en ramassa quelques-uns ; il s'aperçut, en les approchant de ses yeux, que ces diamants, de la façon dont ils étaient taillés, étaient d'excellents microscopes. Il prit donc un petit microscope de cent soixante pieds de diamètre, qu'il appliqua à sa prunelle ; et Micromégas en choisit un de deux mille cinq cents pieds. Ils étaient excellents ; mais d'abord on ne vit rien par leur secours : il fallait s'ajuster. Enfin l'habitant de Saturne vit quelque chose d'imperceptible qui remuait entre deux eaux dans la mer Baltique : c'était une baleine. Il la prit avec le petit doigt fort adroitement, et, la mettant sur l'ongle de son pouce, il la fit voir au Sirien, qui se mit à rire pour la seconde fois de l'excès de petitesse dont étaient les habitants de notre globe. Le Saturnien, convaincu que notre monde est habité, s'imagina bien vite qu'il ne l'était que par des baleines ; et, comme il était grand raisonneur, il voulut deviner d'où un si petit atome tirait son mouvement, s'il avait des idées, une volonté, une liberté. Micromégas y fut fort embarrassé : il examina l'animal fort patiemment, et le résultat de l'examen fut qu'il n'y avait pas moyen de croire qu'une âme fût logée là. Les deux voyageurs inclinaient donc à penser qu'il n'y a point d'esprit dans notre habitation, lorsqu'à l'aide du microscope ils aperçurent quelque chose de plus gros qu'une baleine qui flottait sur la mer Baltique. On sait que dans ce temps-là même une volée de philosophes revenait du cercle polaire, sous lequel ils avaient été faire des observations dont personne ne s'était avisé jusqu'alors. Les gazettes dirent que leur vaisseau échoua aux côtes de Botnie, et qu'ils eurent bien de la peine à se sauver ; mais on ne sait jamais dans ce monde le dessous des cartes. Je vais raconter ingénument comme la chose se passa, sans y rien mettre du mien, ce qui n'est pas un petit effort pour un historien.

CHAPITRE V

EXPÉRIENCES ET RAISONNEMENTS
DES DEUX VOYAGEURS

Micromégas étendit la main tout doucement vers l'endroit où l'objet paraissait, et, avançant deux doigts et les retirant par la crainte de se tromper, puis les ouvrant et les serrant, il saisit fort adroitement le vaisseau qui portait ces messieurs, et le mit encore sur son ongle, sans le trop presser de peur de l'écraser. « Voici un animal bien différent du premier », dit le nain de Saturne ; le Sirien mit le prétendu animal dans le creux de sa main. Les passagers et les gens de l'équipage, qui s'étaient crus enlevés par un ouragan, et qui se croyaient sur une espèce de rocher, se mettent tous en mouvement ; les matelots prennent des tonneaux de vin, les jettent sur la main de Micromégas et se précipitent après. Les géomètres prennent leurs quarts de cercle, leurs secteurs, et des filles laponnes, et descendent sur les doigts du Sirien. Ils en firent tant qu'il sentit enfin remuer quelque chose qui lui chatouillait les doigts : c'était un bâton ferré qu'on lui enfonçait d'un pied dans l'index ; il jugea, par ce picotement, qu'il était sorti quelque chose du petit animal qu'il tenait. Mais il n'en soupçonna pas d'abord davantage. Le microscope, qui faisait à peine discerner une baleine et un vaisseau, n'avait point de prise sur un être aussi imperceptible que des hommes. Je ne prétends choquer ici la vanité de personne, mais je suis obligé de prier les importants de faire ici une petite remarque avec moi : c'est qu'en prenant la taille des hommes d'environ cinq pieds, nous ne faisons pas sur la terre une plus grande figure qu'en ferait, sur une boule de dix pieds de tour, un animal qui aurait à peu près la six cent millième partie d'un pouce en hauteur. Figurez-vous une substance qui pourrait tenir la terre dans sa main, et qui aurait des organes en proportion des nôtres ; et il se peut très bien faire qu'il y ait un grand nombre de ces substances : or concevez, je vous prie, ce qu'elles penseraient de ces batailles qui nous ont valu deux villages qu'il a fallu rendre.

Je ne doute pas que si quelque capitaine des grands grenadiers lit jamais cet ouvrage, il ne hausse de deux grands pieds au moins les bonnets de sa troupe ; mais je l'avertis qu'il aura beau faire, et que lui et les siens ne seront jamais que des infiniment petits.

Quelle adresse merveilleuse ne fallut-il donc pas à notre philosophe de Sirius pour apercevoir les atomes dont je viens de parler ! Quand Leuwenhoek et Hartsoeker virent les premiers, ou crurent voir, la graine dont nous sommes formés, ils ne firent pas à beaucoup près une si étonnante découverte. Quel plaisir sentit Micromégas en voyant remuer ces petites machines, en examinant tous leurs tours, en les suivant dans toutes leurs opérations ! comme il s'écria ! comme il mit avec joie un de ses microscopes dans les mains de son compagnon de voyage ! « Je les vois, disaient-ils tous deux à la fois ; ne les voyez-vous pas qui portent des fardeaux, qui se bais-

sent, qui se relèvent ? » En parlant ainsi, les mains
leur tremblaient, par le plaisir de voir des objets si
nouveaux et par la crainte de les perdre. Le Saturnien,
passant d'un excès de défiance à un excès de crédu-
lité, crut apercevoir qu'ils travaillaient à la propaga-
tion. *Ah !* disait-il, *j'ai pris la nature sur le fait*. Mais
il se trompait sur les apparences, ce qui n'arrive que
trop, soit qu'on se serve ou non de microscopes.

CHAPITRE VI

CE QUI LEUR ARRIVA
AVEC DES HOMMES

Micromégas, bien meilleur observateur que son nain, vit clairement que les atomes se parlaient ; et il le fit remarquer à son compagnon, qui, honteux de s'être mépris sur l'article de la génération, ne voulut point croire que de pareilles espèces pussent se communiquer des idées. Il avait le don des langues, aussi bien que le Sirien ; il n'entendait point parler nos atomes, et il supposait qu'ils ne parlaient pas. D'ailleurs, comment ces êtres imperceptibles auraient-ils les organes de la voix, et qu'auraient-ils à dire ? Pour parler, il faut penser, ou à peu près ; mais, s'ils pensaient, ils auraient donc l'équivalent d'une âme. Or, attribuer l'équivalent d'une âme à cette espèce, cela lui paraissait absurde. « Mais, dit le Sirien, vous avez cru tout à l'heure qu'ils faisaient l'amour. Est-ce que vous croyez qu'on puisse faire l'amour sans penser et sans proférer quelque parole, ou du moins sans se faire entendre ? Supposez-vous d'ailleurs qu'il soit plus difficile de produire un argument qu'un enfant ? Pour moi, l'un et l'autre me paraissent de grands mystères. – Je n'ose plus ni croire ni nier, dit le nain ;

je n'ai plus d'opinion. Il faut tâcher d'examiner ces insectes, nous raisonnerons après. – C'est fort bien dit », reprit Micromégas ; et aussitôt il tira une paire de ciseaux dont il se coupa les ongles, et d'une rognure de l'ongle de son pouce il fit sur-le-champ une espèce de grande trompette parlante comme un vaste entonnoir, dont il mit le tuyau dans son oreille. La circonférence de l'entonnoir enveloppait le vaisseau et tout l'équipage. La voix la plus faible entrait dans les fibres circulaires de l'ongle, de sorte que grâce à son industrie le philosophe de là-haut entendit parfaitement le bourdonnement de nos insectes de là-bas. En peu d'heures il parvint à distinguer les paroles, et enfin à entendre le français. Le nain en fit autant, quoique avec plus de difficulté. L'étonnement des voyageurs redoublait à chaque instant. Ils entendaient des mites parler d'assez bon sens : ce jeu de la nature leur paraissait inexplicable. Vous croyez bien que le Sirien et son nain brûlaient d'impatience de lier conversation avec les atomes : il craignait que sa voix de tonnerre, et surtout celle de Micromégas, n'assourdît les mites sans en être entendue. Il fallait en diminuer la force. Ils se mirent dans la bouche des espèces de petits cure-dents, dont le bout fort effilé venait donner auprès du vaisseau. Le Sirien tenait le nain sur ses genoux, et le vaisseau avec l'équipage sur son ongle. Il baissait la tête et parlait bas. Enfin, moyennant toutes ces précautions et bien d'autres encore, il commença ainsi son discours :

« Insectes invisibles, que la main du Créateur s'est plu à faire naître dans l'abîme de l'infiniment petit, je le remercie de ce qu'il a daigné me découvrir des secrets qui semblaient impénétrables. Peut-être ne daignerait-on pas vous regarder à ma cour ; mais je ne méprise personne, et je vous offre ma protection. »

Si jamais il y a eu quelqu'un d'étonné, ce furent les gens qui entendirent ces paroles. Ils ne pouvaient deviner d'où elles partaient. L'aumônier du vaisseau récita les prières des exorcismes, les matelots jurèrent, et les philosophes du vaisseau firent un système ; mais, quelque système qu'ils fissent, ils ne purent jamais deviner qui leur parlait. Le nain de Saturne, qui avait la voix plus douce que Micromégas, leur apprit alors en peu de mots à quelles espèces ils avaient affaire. Il leur conta le voyage de Saturne, les mit au fait de ce qu'était M. Micromégas, et, après les avoir plaints d'être si petits, il leur demanda s'ils avaient toujours été dans ce misérable état si voisin de l'anéantissement, ce qu'ils faisaient dans un globe qui paraissait appartenir à des baleines, s'ils étaient heureux, s'ils multipliaient, s'ils avaient une âme, et cent autres questions de cette nature.

Un raisonneur de la troupe, plus hardi que les autres et choqué de ce qu'on doutait de son âme, observa l'interlocuteur avec des pinnules braquées sur un quart de cercle, fit deux stations, et, à la troisième, il parla ainsi : « Vous croyez donc, Monsieur, parce que vous avez mille toises depuis la tête jusqu'aux pieds que vous êtes un... – Mille toises ! s'écria le nain. Juste ciel ! d'où peut-il savoir ma hauteur ? mille toises ! Il ne se trompe pas d'un pouce. Quoi ! cet atome m'a mesuré ! Il est géomètre. Il connaît ma grandeur ; et moi, qui ne le vois qu'à travers un microscope, je ne connais pas encore la sienne ! – Oui, je vous ai mesuré, dit le physicien, et je mesurerai bien encore votre grand compagnon. » La proposition fut acceptée ; Son Excellence se coucha de son long, car, s'il se fût tenu debout, sa tête eût été trop au-dessus des nuages. Nos philosophes lui plantèrent un grand arbre dans un endroit que le docteur Swift nommerait, mais que je me garderai bien d'appeler par son nom à cause de mon grand respect pour les dames. Puis, par une suite de triangles liés ensemble, ils conclurent que ce qu'ils voyaient était en effet un jeune homme de cent vingt mille pieds de roi.

Alors Micromégas prononça ces paroles : « Je vois plus que jamais qu'il ne faut juger de rien sur sa grandeur apparente. Ô Dieu, qui avez donné une intelligence à des substances qui paraissent si méprisables, l'infiniment petit vous coûte aussi peu que l'infiniment grand ; et, s'il est possible qu'il y ait des êtres plus petits que ceux-ci, ils peuvent encore avoir un esprit supérieur à ceux de ces superbes animaux que j'ai vus dans le ciel, dont le pied seul couvrirait le globe où je suis descendu. »

Un des philosophes lui répondit qu'il pouvait en toute sûreté croire qu'il est en effet des êtres intelligents beaucoup plus petits que l'homme. Il lui conta, non pas tout ce que Virgile a dit de fabuleux sur les abeilles, mais ce que Swammerdam a découvert, et ce que Réaumur a disséqué. Il lui apprit enfin qu'il y a des animaux qui sont pour les abeilles ce que les abeilles sont pour l'homme, ce que le Sirien lui-même était pour ces animaux si vastes dont il parlait, et ce que ces grands animaux sont pour d'autres substances devant lesquelles ils ne paraissent que comme des atomes. Peu à peu la conversation devint intéressante, et Micromégas parla ainsi.

CHAPITRE VII

CONVERSATION AVEC LES HOMMES

« Ô atomes intelligents, dans qui l'Être éternel s'est plu à manifester son adresse et sa puissance, vous devez sans doute goûter des joies bien pures sur votre globe ; car, ayant si peu de matière et paraissant tout esprit, vous devez passer votre vie à aimer et à penser, c'est la véritable vie des esprits. Je n'ai vu nulle part le vrai bonheur, mais il est ici sans doute. » À ce discours, tous les philosophes secouèrent la tête ; et l'un d'eux, plus franc que les autres, avoua de bonne foi que, si l'on en excepte un petit nombre d'habitants fort peu considérés, tout le reste est un assemblage de fous, de méchants et de malheureux. « Nous avons plus de matière qu'il ne nous en faut, dit-il, pour faire beaucoup de mal, si le mal vient de la matière, et trop d'esprit, si le mal vient de l'esprit. Savez-vous bien, par exemple, qu'à l'heure que je vous parle, il y a cent mille fous de notre espèce, couverts de chapeaux, qui tuent cent mille autres animaux couverts d'un turban, ou qui sont massacrés par eux, et que, presque par toute la terre, c'est ainsi qu'on en use de temps immémorial ? » Le Sirien frémit et demanda quel pouvait être

le sujet de ces horribles querelles entre de si chétifs
animaux. « Il s'agit, dit le philosophe, de quelque tas
de boue grand comme votre talon. Ce n'est pas
qu'aucun de ces millions d'hommes qui se font égor-
ger prétende un fétu sur ce tas de boue. Il ne s'agit
que de savoir s'il appartiendra à un certain homme
qu'on nomme *Sultan* ou à un autre qu'on nomme, je
ne sais pourquoi, *César*. Ni l'un ni l'autre n'a jamais
vu ni ne verra jamais le petit coin de terre dont il
s'agit, et presque aucun de ces animaux qui s'égorgent mutuellement n'a jamais vu l'animal pour lequel
ils s'égorgent.

— Ah, malheureux ! s'écria le Sirien avec indi-
gnation, peut-on concevoir cet excès de rage force-
née ? Il me prend envie de faire trois pas, et d'écraser
de trois coups de pied toute cette fourmilière d'assas-
sins ridicules. – Ne vous en donnez pas la peine, lui
répondit-on ; ils travaillent assez à leur ruine. Sachez
qu'au bout de dix ans il ne reste jamais la centième
partie de ces misérables ; sachez que, quand même
ils n'auraient pas tiré l'épée, la faim, la fatigue ou
l'intempérance les emportent presque tous. D'ailleurs, ce n'est pas eux qu'il faut punir : ce sont des
barbares sédentaires qui, du fond de leur cabinet,
ordonnent, dans le temps de leur digestion, le mas-
sacre d'un million d'hommes, et qui ensuite en font
remercier Dieu solennellement. » Le voyageur se
sentait ému de pitié pour la petite race humaine,
dans laquelle il découvrait de si étonnants contrastes.
« Puisque vous êtes du petit nombre des sages, dit-il
à ces messieurs, et qu'apparemment vous ne tuez
personne pour de l'argent, dites-moi, je vous en
prie, à quoi vous vous occupez. – Nous disséquons
des mouches, dit le philosophe, nous mesurons des
lignes, nous assemblons des nombres, nous sommes

d'accord sur deux ou trois points que nous entendons, et nous disputons sur deux ou trois mille que nous n'entendons pas. » Il prit aussitôt fantaisie au Sirien et au Saturnien d'interroger ces atomes pensants pour savoir les choses dont ils convenaient. « Combien comptez-vous, dit-il, de l'étoile de la Canicule à la grande étoile des Gémeaux ? » Ils répondirent tous à la fois : « Trente-deux degrés et demi. – Combien comptez-vous d'ici à la lune ? – Soixante demi-diamètres de la terre en nombre rond. – Combien pèse votre air ? » Il croyait les attraper, mais tous lui dirent que l'air pèse environ neuf cents fois moins qu'un pareil volume de l'eau la plus légère, et dix-neuf mille fois moins que l'or de ducat. Le petit nain de Saturne, étonné de leurs réponses, fut tenté de prendre pour des sorciers ces mêmes gens auxquels il avait refusé une âme un quart d'heure auparavant.

Enfin Micromégas leur dit : « Puisque vous savez si bien ce qui est hors de vous, sans doute vous savez encore mieux ce qui est dedans. Dites-moi ce que c'est que votre âme et comment vous formez vos idées. » Les philosophes parlèrent tous à la fois comme auparavant ; mais ils furent tous de différents avis. Le plus vieux citait Aristote, l'autre prononçait le nom de Descartes, celui-ci de Malebranche, cet autre de Leibniz, cet autre de Locke. Un vieux péripatéticien dit tout haut avec confiance : « L'âme est une *entéléchie*, et une raison par qui elle a la puissance d'être ce qu'elle est. C'est ce que déclare expressément Aristote, page 633 de l'édition du Louvre Ἐντελέχεινᾶ ἐστι [1], etc.

— Je n'entends pas trop bien le grec, dit le géant.

_____

1. C'est une entéléchie (en grec : *entelekheia*) ; entéléchie : état de perfection.

– Ni moi non plus, dit la mite philosophique. – Pourquoi donc, reprit le Sirien, citez-vous un certain
Aristote en grec ? – C'est, répliqua le savant, qu'il
faut bien citer ce qu'on ne comprend point du tout
dans la langue qu'on entend le moins. »

Le cartésien prit la parole, et dit : « L'âme est un
esprit pur, qui a reçu dans le ventre de sa mère toutes
les idées métaphysiques et qui, en sortant de là, est
obligée d'aller à l'école, et d'apprendre tout de nouveau ce qu'elle a si bien su et qu'elle ne saura plus.
– Ce n'était donc pas la peine, répondit l'animal de
huit lieues, que ton âme fût si savante dans le ventre
de ta mère, pour être si ignorante quand tu aurais de
la barbe au menton. Mais qu'entends-tu par esprit ?
– Que me demandez-vous là ? dit le raisonneur, je
n'en ai point d'idée : on dit que ce n'est pas de la
matière. – Mais sais-tu au moins ce que c'est que
de la matière ? – Très bien, répondit l'homme. Par
exemple, cette pierre est grise, et d'une telle forme,
elle a ses trois dimensions, elle est pesante et divisible. – Eh bien, dit le Sirien, cette chose qui te paraît
être divisible, pesante et grise, me dirais-tu bien ce
que c'est ? Tu vois quelques attributs ; mais le fond
de la chose, le connais-tu ? – Non, dit l'autre. – Tu
ne sais donc point ce que c'est que la matière. »

Alors M. Micromégas, adressant la parole à un
autre sage qu'il tenait sur son pouce, lui demanda ce
que c'était que son âme, et ce qu'elle faisait. « Rien
du tout, répondit le philosophe malebranchiste, c'est
Dieu qui fait tout pour moi ; je vois tout en lui, je
fais tout en lui : c'est lui qui fait tout sans que je
m'en mêle. – Autant vaudrait ne pas être, reprit le
sage de Sirius. Et toi, mon ami, dit-il à un leibnizien
qui était là, qu'est-ce que ton âme ? – C'est, répondit
le leibnizien, une aiguille qui montre les heures pen-

dant que mon corps carillonne ; ou bien, si vous
voulez, c'est elle qui carillonne pendant que mon
corps montre l'heure ; ou bien mon âme est le miroir
de l'univers et mon corps est la bordure du miroir :
cela est clair. »

Un petit partisan de Locke était là tout auprès ; et
quand on lui eut enfin adressé la parole : « Je ne sais
pas, dit-il, comment je pense, mais je sais que je n'ai
jamais pensé qu'à l'occasion de mes sens. Qu'il y
ait des substances immatérielles et intelligentes, c'est
de quoi je ne doute pas ; mais qu'il soit impossible
à Dieu de communiquer la pensée à la matière, c'est
de quoi je doute fort. Je révère la puissance éternelle,
il ne m'appartient pas de la borner ; je n'affirme rien,
je me contente de croire qu'il y a plus de choses
possibles qu'on ne pense. »

L'animal de Sirius sourit : il ne trouva pas celui-là
le moins sage ; et le nain de Saturne aurait embrassé
le sectateur de Locke, sans l'extrême disproportion.
Mais il y avait là, par malheur, un petit animalcule
en bonnet carré, qui coupa la parole à tous les
animalcules philosophes ; il dit qu'il savait tout le
secret, que cela se trouvait dans la *Somme* de saint
Thomas ; il regarda de haut en bas les deux habitants
célestes ; il leur soutint que leurs personnes, leurs
mondes, leurs soleils, leurs étoiles, tout était fait
uniquement pour l'homme. À ce discours, nos deux
voyageurs se laissèrent aller l'un sur l'autre en étouf-
fant de ce rire inextinguible qui, selon Homère, est
le partage des dieux ; leurs épaules et leurs ventres
allaient et venaient, et dans ces convulsions le vaisseau que le Sirien avait sur son ongle tomba dans
une poche de la culotte du Saturnien. Ces deux bonnes gens le cherchèrent longtemps ; enfin ils retrou-
vèrent l'équipage, et le rajustèrent fort proprement.

Le Sirien reprit les petites mites ; il leur parla encore avec beaucoup de bonté, quoiqu'il fût un peu fâché dans le fond du cœur de voir que les infiniment petits eussent un orgueil presque infiniment grand. Il leur promit de leur faire un beau livre de philosophie, écrit fort menu pour leur usage, et que dans ce livre ils verraient le bout des choses. Effectivement, il leur donna ce volume avant son départ : on le porta à Paris à l'Académie des sciences ; mais, quand le secrétaire l'eut ouvert, il ne vit rien qu'un livre tout blanc : *Ah !* dit-il, *je m'en étais bien douté.*

TABLE DES MATIÈRES

POCKET N° 14764

2,90 €
Prix France TTC
Texte
intégral

F. Scott Fitzgerald

GATSBY

Nouvelle traduction

POCKET

*Face à l'orgueil
d'une caste,
le rêve obstiné
d'un homme
insaisissable...*

Francis Scott
FITZGERALD
GATSBY

Années 1920. À Long Island, l'alcool et l'argent
coulent à flots. C'est là que s'installe le charmant
Gatsby, incarnation du pouvoir et de la réussite.
Les rumeurs les plus folles circulent à son sujet.
Pourtant, derrière l'arrogance de Gastby se cache un
personnage désenchanté. Le XXᵉ siècle ne fait que
commencer, mais la fête semble déjà finie.

Retrouvez toute l'actualité de Pocket sur :
www.pocket.fr

POCKET N° 15348

4,90 €
Prix France TTC
Texte
intégral

POCKET

Un amour en quête d'absolu contre les conventions d'une société en déclin

Léon TOLSTOÏ
ANNA KARÉNINE

En gare de Moscou, deux jeunes gens s'aiment au premier regard. Femme d'un haut fonctionnaire, Anna Karénine éblouit le frivole comte Wronsky par sa grâce et sa gaieté. Ils ne résistent pas longtemps à cette passion porteuse de scandale et de destruction, tandis que résonnent déjà les premiers craquements de l'Empire russe en train de se lézarder...

Retrouvez toute l'actualité de Pocket sur :
www.pocket.fr

POCKET N° 15434

Victor Hugo

Les Misérables

Texte intégral

POCKET

Jean Valjean, Javert, Cosette, Gavroche... L'extraordinaire épopée de figures devenues familières

Victor HUGO
LES MISÉRABLES
L'INTÉGRALE

En 1862, paraissent *Les Misérables*, qui désignent toutes les victimes d'un ordre social dont Hugo condamne les injustices. Immense épopée populaire, le roman nous emporte dans l'air de Paris et de ses bas-fonds, chargé de l'odeur de poudre des barricades et de la Révolution. Il deviendra l'une des œuvres les plus lues dans le monde, maintes fois adaptée au cinéma.

Retrouvez toute l'actualité de Pocket sur :
www.pocket.fr

Faites de nouvelles découvertes sur
www.pocket.fr

- Des 1ers chapitres à télécharger
- Les dernières parutions
- Toute l'actualité des auteurs
- Des jeux-concours

POCKET

Il y a toujours
un **Pocket** à découvrir

Imprimé en France par

MAURY IMPRIMEUR
à Malesherbes (Loiret)
en avril 2013

POCKET – 12, avenue d'Italie – 75627 Paris Cedex 13

N° d'impression : 180496
Dépôt légal : mai 2007
Suite du premier tirage : mai 2013
S17768/08